CW00692590

Maylis de Kerangal

Naissance
d'un pont

Gallimard

Cet ouvrage a paru précédemment aux Éditions Verticales.

Pour la préparation de ce roman, l'auteur a bénéficié en 2009 de l'aide du ministère des Affaires étrangères/Culturesfrance, dans le cadre d'une mission Stendhal.

Maylis de Kerangal a grandi au Havre. Elle est l'auteur de nouvelles, *Ni fleurs ni couronnes* (« Minimales », 2006), d'une fiction en hommage à Kate Bush et Blondie, *Dans les rapides* (2007), et de romans publiés aux Éditions Verticales, dont *Corniche Kennedy* (2008), *Naissance d'un pont* (prix Franz Hessel et prix Médicis 2010), *Tangente vers l'est* (prix Landerneau 2012) et *Un monde à portée de main* (2018). Paru en 2014, *Réparer les vivants*, roman d'une transplantation cardiaque, est traduit en trente-cinq langues et récompensé par de nombreux prix littéraires, dont celui du Roman des étudiants France Culture-*Télérama* et le Grand Prix RTL-*Lire*. La même année, Maylis de Kerangal a reçu le Grand Prix de littérature Henri Gal de l'Académie française pour l'ensemble de son œuvre. Plusieurs de ses romans ont été adaptés au théâtre et au cinéma. Elle est par ailleurs membre de la revue *Inculte*. Elle vit et travaille à Paris.

Mais tout comme les mers trament d'obscurs échanges
Dans ce monde poreux il est tout aussi vrai
D'affirmer que chaque homme s'est baigné dans le Gange.

Jorge Luis Borges,
«Poème du quatrième élément»,
in *L'Autre, le même*

Au commencement, il connut la Yakoutie du Nord et Mirny où il travailla trois années. Mirny, une mine de diamants à ouvrir sous la croûte glaciale, grise, sale, toundra désespérante salopée de vieux charbon malade et de camps de déportés, terre déserte baignée de nuit à engelures, cisaillée onze mois l'an d'un blizzard propre à fendre les crânes, sous laquelle sommeillaient encore, membres épars et cornes géantes bellement recourbées, rhinocéros en fourrure, bélougas laineux et caribous congelés – cela il se l'imaginait le soir attablé au bar de l'hôtel devant un alcool fort et translucide, la même pute subreptice lui prodiguant mille caresses tout en arguant d'un mariage en Europe contre loyaux services mais jamais ne la toucha, pouvait pas, plutôt rien que baiser cette femme qui n'avait pas envie de lui, il s'en tint à ça. Les diamants de Mirny, donc, il fallut creuser pour aller les chercher, casser le permafrost à coups de dynamite, forer un trou dantesque, large comme la ville elle-même – on y aurait plongé tête en bas les tours d'habitation de cinquante étages qui y poussèrent bientôt tout autour –, et, muni d'une torche frontale, descendre au fond de l'orifice, piocher les parois, excaver la terre, ramifier des galeries en une arborescence souterraine latéralisée au plus loin, au plus dur, au plus noir, étayer les couloirs et y poser des rails, électrifier la boue, alors fouir la glèbe, gratter la caillasse et tamiser les boyaux, guetter l'éclat splendide. Trois ans.

Son contrat expiré, il rentra en France à bord d'un Tupolev peu démocratique – son siège en classe économique est complètement défoncé, une pelote de fils métalliques se promène sous la toile du dossier, la perce çà et là pour faire sortir une tige qui lui meurtrit les reins –, quelques contrats s'ensuivent et chef de chantier à Dubaï on le retrouve, un palace à faire jaillir du sable, vertical comme un obélisque mais laïc comme un cocotier, et du verre cette fois, du verre et de l'acier, des ascenseurs comme des bulles coulissant le long de tubulaires dorés, du marbre de Carrare pour le lobby circulaire dont la fontaine bruitait son glouglou de luxe pétrodollar, le tout assorti de plantes vertes cirées, de canapés croûte de cuir et d'air conditionné. Ensuite, il fut de tous les coups, il donna sa mesure. Stade de foot à Chengdu, annexe de port gazier à Cumaná, mosquée à Casablanca, pipeline à Bakou – les hommes en ville marchent vite, vêtus de gabardines sombres qui leur font les hanches étroites, le nœud de cravate comme un petit poing fermé sous le col dur, le chapeau noir à trois bosses, regards tristes et fines moustaches, tous ressemblent à Charles Aznavour, il téléphone à sa mère pour le lui dire –, station d'épuration mobile au nord de Saigon, complexe hôtelier pour salariés blancs à Djerba, studios de cinéma à Bombay, centre spatial à Baïkonour, tunnel sous la Manche, barrage à Lagos, galerie marchande à Beyrouth, aéroport à Reykjavík, cité lacustre au cœur de la jungle.

Téléporté ainsi de biotope en biotope, à bord de vols long-courrier finissant bien souvent coucou biturbine, il ne reste guère plus de dix-huit mois sur un site et ne voyage jamais, dégoûté de l'exotisme, de sa trivialité – pleins pouvoirs du Blanc contre colonisation vengeresse des amibes, drogues et femmes dociles contre devises occidentales – et vit de peu, le plus souvent dans un logement situé aux alentours du chantier et loué par l'entreprise – un lieu radical à ce point c'est une blague : aucune de ces babioles que l'on traîne après soi, aucune photo punaisée sur une porte mais quelques livres, des disques, une télévision géante aux images couleurs Buitoni et un vélo, magnifique machine en fibre de carbone dont l'acheminement sur site à grands frais finit par faire l'objet d'une clause contractuelle unique dans les annales –, achète tout sur place – rasoir shampooing savon –, prend ses repas dans des gargotes huileuses et enfumées, deux fois par semaine avale un steak international au restaurant d'un hôtel, s'il y en a, se lève tôt, travaille à heures fixes, chaque jour une courte sieste après le déjeuner et, les jours de grâce météorologique, enfourche son vélo pour cinquante kilomètres au moins, le vent sur le front, le buste couché sur la bécane, alors pédale à toute vitesse ; la nuit sort dans les rues, marche ou se faufile, les tempes rafraîchies et le cerveau d'attaque, apprend les idiomes locaux dans les boîtes, dans les claques, dans les tripots – le langage des cartes comme une sorte de pidgin-english –, dans les bars. Car dipsomane, il l'est, on le sait tous, et depuis longtemps.

Vingt ans à ce régime auraient eu la peau de n'importe quel corps, chaque nouveau chantier exigeant qu'il s'adapte – des conversions en vérité, climatiques, dermatologiques, diététiques, phonologiques, sans parler des nouveaux usages de la vie quotidienne qui impliquent de produire des actes inconnus – or le sien à l'inverse s'innovait, y gagnait de la force, virait expansionniste, et certains soirs, rentré seul au baraquement après le départ des dernières équipes, il lui arrivait de se poster devant le planisphère épinglé au mur du réduit de son bureau, bras écartés, peau et pupilles également dilatées et, dans un beau mouvement latéral parti de l'île de Pâques et achevé au Japon, ses yeux recensaient lentement ses points d'intervention à la surface du globe. Chaque chantier à venir jouait donc contre les précédents comme on joue des hanches lors d'une salsa rapide, et s'hybridait avec eux, activant de la sorte l'expérience contenue dans toute sa personne, et dont on faisait grand cas de par le monde entier. Or, si son corps continuellement déplacé ne s'usait pas plus vite que celui d'un sédentaire astreint aux migrations pendulaires, sa bouche, elle, connaissait de drôles de chamboulements : toute langue parlée sur le chantier et facilement apprise venait y bouger intimement son français – un français déjà bien perturbé –, si bien qu'il lui arrivait de s'emmêler les pinceaux dans les courtes lettres qu'il écrivait à sa mère. Vingt ans à ce régime, donc, ce n'était rien pour lui, cela ne comptait pas.

On voulut savoir de quel bois se chauffait sa carcasse, on lui tourna autour. On le décrivit successivement ingénieur apatride, mercenaire du béton et défricheur patient de sylves tropicales, repris de justice, joueur en désintox, businessman suicidaire, le soir fumant des opiacés sous les frangipaniers ou le regard perdu sur la steppe mongole une bouteille glacée tenue entre les cuisses ; on le dessina cow-boy laconique, issu de nulle part, tendu par sa mission sans un geste inutile, et prêt à tout pour remporter la prime – là, oui, on touchait quelque chose, un fragment du moins, une vague nuance, et on en riait – et sûrement était-il tous ces hommes, simultanément, successivement, sans doute était-il pluriel, déployant une gamme de dispositions variables de manière à traverser la vie en la crochetant par tous les côtés. On eût aimé qu'il soit en quête de lui-même, mystérieux, éperdu, on supputa une fêlure secrète dévoreuse de miles, on envisagea un remords, une désertion, une trahison, ou mieux encore, un fantôme de femme restée en métropole sans doute auprès d'un autre et qu'il lui faudrait fuir – cette femme existe, et n'a rien d'un fantôme, elle respire bel et bien, et vit auprès d'un autre, il la retrouve parfois lors d'un passage en France, rendez-vous dans Paris, elle arrive ponctuelle cheveux dans la figure yeux brillants poches pleines, et ils sont de retour, sûrement, et tracent dans la ville, les corps bien disjoints mais les cœurs accordés, parlent la nuit entière dans un bar quelconque, des bières successives les saoulant lentement si bien qu'ils s'embrassent à l'heure où l'aube pointe, ils sont dans l'amour, alors, se caressent le corps, soulevés, et puis ils se séparent, calmes, roi et reine, le temps n'existe pas, c'est une pure invention, et se tournent le dos avec une telle confiance que le monde entier leur murmure merci. On se disait qu'être seul à ce point, cela ne se faisait pas, que c'était du gâchis, malsain à la longue, un tel homme, une force de la nature, on lui chercha des femmes au fond des consulats, des belles, des blanches, des dévouées, on lui chercha des jeunes gens, on lui chercha des poux, une faute originelle, du moins une origine, une faille intime tracée dans son enfance, on le chuchota cassé, au fond – au fond de quoi d'ailleurs, personne ne le savait. Aussi, il rentrait peu en France – et sa mère ? il a bien une mère puisqu'il lui écrit, n'y pense-t-il donc pas ? –, surplombait l'Hexagone d'un silence peu amène, n'en conservait guère que la nationalité inscrite sur son passeport, un compte en banque judicieusement étoffé, le goût de la conversation et d'un certain confort, et jamais il ne manqua de voir le Paris-Nice. On eût aimé le savoir pris dans une expérience intérieure, enclavé, pas si fort, c'eût été tellement simple, c'eût été tellement plus facile à penser – un homme si plein et par ailleurs prisant l'alcool brutal cache forcément quelque chose – ; on eût aimé qu'il ne sache pas aimer, qu'il en soit incapable, qu'il se défonce au travail pour ne pas y penser. On eût aimé qu'il soit mélancolique.

Mais ceux qui l'avaient pratiqué sur les chantiers s'étranglaient en entendant ces balivernes : fantasmes de bonnes femmes, poèmes pète-couilles, clichetons sucrés. Ils concassaient cette statue de carton-pâte à coups de haussements d'épaules et de regards narquois, car eux l'avaient vu à l'œuvre, avaient tâté du bonhomme. Ils disaient : ok, c'est vrai, le temps ne lui est rien, celui qui passe, celui qui fuit, tout ça ne lui est rien, tout ça ne coule pas, ni ne crée d'adhérences ou de brumes saumâtres – est-ce parce qu'on y est seul, justement, dans le temps, seul et perdant à tous les coups, le nez collé aux pertes, aux liquides bacillaires touillés au fond des seaux, aux lambeaux de tristesse cousus au bout des doigts comme de vieux sparadraps et qu'il nous faudrait finir d'arracher à coups de dents ? –, il n'y est pas étanche, soit, mais il n'y pense pas, ne s'y intéresse pas, n'en a guère le loisir, s'en fout de l'origine et s'en fout de l'histoire, a mélangé son sang, pense chaque jour comme

tout le monde à la mort et c'est tout. Ils disaient :
le temps qui est le sien se compte en claquant
des doigts *one! two! three! four! let's go!* – et là,
ils joignaient le geste à la parole, mimant un top
départ aussitôt tendu vers sa fin, vers son objet, la
livraison d'un ouvrage dont la deadline tracée au
bas de la commande à l'encre écarlate anticipait
les jours selon un plan de travail, selon un phasage
dûment chiffré, selon des contrats, et des saisons
– celle des pluies surtout, et celle des nidifications
qui ne font jamais son affaire, on comprendra
pourquoi. Ils disaient : son temps c'est le présent,
c'est l'instant ou jamais, agir correctement, traiter
la situation, c'est sa seule morale et tout le travail
d'une vie, c'est aussi simple que ça. Et encore :
c'est un homme de terrain, le ras des pâquerettes,
voilà son élément – lui-même en parlerait ainsi,
l'œil mi-clos, la cigarette au bec, moqueur, ajou-
terait sans ciller c'est là qu'est l'aventure, c'est là
que sont les risques, c'est là que vit mon corps – et
à ces mots, il se frapperait le torse à deux poings
fermés comme le font les grands gorilles des forêts
tropicales –, mais parfois, ne riant plus, il relevait
la tête et déclarait, ombrageux, le truc que j'abo-
mine, c'est l'utopie, le bon petit système, le bijou
chimérique en apesanteur du monde blablabla,
c'est clos, toujours trop miniature et tellement bien
huilé, c'est de la mauvaise came, tenez-vous-le
pour dit, y a rien pour moi là-dedans, y a rien qui
m'intéresse, rien qui me fasse bander ; mon nom
est Georges Diderot et ce qui me plaît, à moi, c'est
travailler le réel, faire jouer les paramètres, me

placer au ras du terrain, à la culotte des choses, c'est là que je me déploie.

Il s'arroge des zones, fouille des champs, occupe des sols, élève des édifices, s'avitaille au multiple, au loquace, au sonore, à toutes les bigarrures et les odeurs de peaux, à la foule des mégapoles, à l'agitation révolutionnaire, aux ovations dans les stades, à la liesse des carnavals, à celle des processions, à la douceur des fauves observant les chantiers à travers les bambous, au cinéma de plein air en lisière des villages – l'écran tendu dans le ciel nocturne, quand les espaces s'emboîtent et que les temps y jouent –, aux aboiements des chiens dans le creux des virages. Toujours dehors, concentré, empirique, incroyant : l'expérience intérieure elle n'est jamais dedans, mâchonne-t-il rieur quand ceux que sa trivialité déçoit le harcèlent pour plus d'intériorité et plus de profondeur, ce n'est pas un repli, c'est une déchirure, et j'aime que ça déchire.

marcher dans la nuit violette

Le 15 août 2007, le *New York Times* annonça dans ses pages *Business* la construction d'un pont dans la ville de Coca, brève de trois lignes en bas de casse corps 12 qui glissa sans rien accrocher d'autres que des haussements de sourcils – on pensa : enfin, y en a qui vont avoir du boulot ; ou : ça y est, ils relancent par une politique de grands travaux, rien de plus. Mais les boîtes d'ingénierie envasées dans la crise économique, elles, se mirent à tourner beaucoup plus vite : leurs équipes s'activèrent à chercher des informations, à nouer des contacts au sein des compagnies qui avaient conclu les marchés, à y placer des taupes, le tout afin de se mettre sur les rangs, en bonne place et de les pourvoir en hommes, en machines, en matières premières, en services de toutes sortes. Mais c'était trop tard, les jeux étaient faits, les accords scellés. Ceux-là résultaient d'un processus d'élection lourd et délicat qui, bien qu'accéléré comme s'il avait fait l'objet d'une procédure spéciale, mit tout de même deux ans à s'incarner dans des paraphes officiels au bas de contrats de cent cinquante pages au moins. Un phasage qui ressemblait à une course de haies : septembre 2005, lancement par la mairie de Coca d'un appel à candidature international ; février 2006, pré-qualification de cinq entreprises et dans la foulée, définition de l'appel d'offres ; 20 décembre 2006, remise des dossiers ; 15 avril 2007, désignation des deux sociétés finalistes pour l'ultime étape de sélection ; 1er juin 2007, proclamation du nom du vainqueur par le président de la CPNPC (Commission pour le nouveau pont de Coca) : Ponteverde – groupement de sociétés française (Héraclès Group), américaine (Blackoak Inc.) et indienne (Green Shiva Entr.) – emporte le morceau. Le concours avait imposé un calendrier infernal et mis sous pression des centaines de personnes dans le monde entier. Il y eut de l'excitation et il y eut de la casse. Les ingénieurs marnaient quinze heures par jour et le reste du temps vivaient le BlackBerry ou le iPhone vissé à l'oreille, fourré la nuit sous l'oreiller, le son augmenté quand ils passaient sous la douche, quand ils se défonçaient au squash ou au tennis, le vibreur à fond quand ils allaient au cinéma, et très peu y allaient car ne pensaient qu'à ça, ce putain de pont, cette putain de propale, devenaient obsessionnels, s'exceptaient de la vie. Les semaines filaient, les enfants s'éloignaient, les maisons s'encrassaient, et eux ne touchèrent bientôt plus d'autres corps que les leurs. Il y eut du surmenage, des dépressions, des fausses couches

24

et des divorces, des enlacements sexuels dans les *open space*, mais ça ne rigolait pas, ce n'était pas ludique, juste une occasion, des larrons, et l'incapacité de résister à une promesse de plaisir quand la nuque craque et que les yeux ont cramé douze heures sur des tableaux Excel, poussées de fièvres converties en coïts rapides, un peu n'importe quoi, et finalement, bien qu'atrocement déçus à l'annonce de la proclamation, les recalés furent soulagés de s'en tenir là : ils avaient vieilli, ils étaient épuisés, nazes, morts, sans plus de jus que celui des larmes de fatigue qu'ils laissaient couler une fois seuls en voiture au retour du boulot, quand la radio passait un air de rock, un morceau gorgé de jeunesse et d'envie de s'éclater, *Go Your Own Way* de Fleetwood Mac ou n'importe quoi des Beach Boys, et la nuit venue quand ils se garaient dans leur garage, ils ne sortaient pas tout de suite mais restaient dans le noir, feux éteints et mains sur le volant, et projetaient soudain de tout laisser tomber, de vendre la baraque, de rembourser les crédits, hop tout le monde pieds nus dans la bagnole et en route pour la Californie.

Les autres, ceux qui travaillaient pour Pontoverde, rentrèrent chez eux le soir de la proclamation, victorieux, la niaque, ils avaient un pont à construire, leurs corps en santé incarnaient le progrès, leurs mains impliquées apportaient une pierre à l'édifice, ils savouraient leur place en forme de destin, sûrs à présent d'être des acteurs du monde. Eux aussi s'éternisèrent dans leur véhicule moteur coupé, les yeux rivés sur une feuille de laurier séchée contre le pare-brise et les bras croisés sur le ventre, bien adossés, et eux aussi se tinrent en silence à penser à leur expatriation future, à chiffrer leur carrière qui soudain accélérait parce qu'ils savaient acquiescer à l'opportunité, à évaluer les points qu'ils engrangeraient ainsi avant de rentrer au Siège afin d'y exercer des fonctions supérieures, à prévoir le réaménagement du service qu'ils prendraient en main, et encore à réfléchir au déménagement familial ou à s'imaginer délocalisé célibataire commutant aux vacances scolaires, eux aussi soudain sur le départ, mais ce n'était pas un décrochage de tout, une virée, pas vraiment des vacances, il leur fallait maintenant prendre de l'élan et aller parler à leur femme, annoncer la nouvelle – et certaines gonfleraient la poitrine de fierté et de joie, elles étaient de bonnes compagnes, leur mari réussissait, il avait de l'envergure, et rêveuses, elles s'imaginaient bientôt choyées par la Compagnie, servies par des bonnes locales, une villa avec piscine, oui, au moins ça, deux voitures, un jardinier, une nounou à plein temps voire une cuisinière dévouée, le pied, déjà elles riaient et allaient réveiller les enfants, prêtes pour le joli bond dans l'échelle sociale ; d'autres, estomaquées, rangeraient nerveusement la cuisine en silence puis finiraient par lever vers leur mari un visage angoissé car, chéri, comment allait-on faire pour la scolarité des aînés, pour les parents malades, pour l'orthophoniste du petit dernier et celles-là demanderaient à être rassurées, il faudrait refroidir l'affaire, promettre qu'elles auraient leurs mots à dire dans tout ça, et faire savoir que l'on comptait sur elles ; quand enfin, une poignée d'autres, celles-là de loin les plus coriaces, allumeraient une clope une fois lancée la machine à laver, puis schlak, elles feraient volte-face, se retourneraient frontales, les fesses collées contre l'évier et la face curieusement éclairée par le plafonnier de la cuisine, irréelles et pourtant marmoréennes façon Marlene Dietrich, un modelé ambigu qui les rendrait énigmatiques, abominablement lointaines, et celles-là souriraient en concluant d'une voix amusée je suis bien contente pour toi, mais moi je fais quoi là-dedans ? Celles-là s'accrocheraient à leur boulot, il faudrait les convaincre, les travailler au corps, jusqu'à ce qu'un soir leur pied consente de nouveau à ramper sous les draps pour caresser celui de l'homme allongé auprès d'elles, il faudrait ruser jusqu'à ce qu'elles accomplissent ce petit geste, cet effleurement de peau, un signe d'acquiescement subtil qui leur octroierait le monde et alors ils triompheraient en silence, parfaitement immobiles, couchés sur le dos. Ensuite, une fois précisé le départ de la famille, la fébrilité gagnerait le foyer. Dans la foulée ils devraient encore résilier les baux, les contrats de téléphone et d'électricité, trouver des garde-meubles – et donc trier le bordel, celui des mômes et le leur, jouets cassés, vêtements trop petits, piles de vieux magazines, vases ébréchés, images défraîchies, tout au bourrier –, passer des visites médicales, puis dire au revoir aux amis, à la famille, enfin faire leurs valises et prendre la route de Coca. Et c'est exactement ce qu'ils firent fin août début septembre.

Ils ne furent pas les seuls à partir. Toutes sortes de gens se mirent en marche dans la nuit violette et convergèrent vers la ville dont le nom de soda jouait comme mille épingles corrosives dans leur bouche sèche. Les annonces qui tombaient sur la Toile réclamaient câbleurs, ferrailleurs, soudeurs, coffreurs, maçons, goudronneurs, grutiers, monteurs d'échafaudage, monteurs levageurs, enduiseurs façadiers, ceux-là firent leur sac comme un seul homme, synchrones, la grande manœuvre, et prirent la route par tous les moyens. Une première vague s'enfourna dans des avions-cargos affrétés par des boîtes prestataires de services spécialisées dans la sous-traitance de main-d'œuvre – et qui procédaient vite, usant du poncif racial en vigueur, préférant à ce titre le Turc fort, le Coréen industrieux, le Tunisien esthète, le Finnois charpentier, l'Autrichien ébéniste, et le Kényan géomètre, évitant le Grec danseur et l'Espagnol ombrageux, le Japonais hypocrite, les Slaves impulsifs – pour un baptême de l'air, les gars terrorisés dégobillaient leurs boyaux au fond de la carlingue. D'autres sautèrent à l'arrière des wagons de marchandises, illico secoués, le cul rebondissant contre le plancher comme sur un tatami, se calèrent contre leurs sacs qui s'entrechoquaient, bientôt saoulés de bruit et de poussière, la tête baissée entre les genoux parce que leurs yeux pleuraient.

Il y en eut encore pour monter dans ces autocars qui blindent la nuit sur les autoroutes, dangers publics conduits par des chauffeurs aux yeux exorbités – manque de sommeil, coke –, transports de pauvres qui n'ont pas 300 dollars pour se dégotter une caisse sur le marché de l'occase et donc se font ramasser comme les traînards par la voiture-balai, voilà pourquoi ça pue tellement fort là-dedans, le velours des sièges imbibé de fatigue et de sueur froide, une odeur de pieds crevés – on sait tous que c'est là l'odeur de l'humanité – et donc ceux-là vinrent se poster sur des parkings pouraves au sortir des villes et levèrent un bras morne pour que le chauffeur s'arrête, la nouvelle de l'ouverture du chantier avait fini par faire traînée de poudre et la ville miroitait déjà dans un coin de leur cerveau ; enfin il y en eut pour venir à pied, et rien ne semblait pouvoir les faire dévier de leur trajectoire, ils rappliquèrent direct, comme des chiens, comme s'ils avaient suivi la piste d'un chiffon magique avec lequel on leur aurait frotté la truffe, quand d'autres étaient simplement des vagabonds, des gens pour qui ici ou là c'était pareil, se faisaient une certaine idée de leur vie et considéraient avec orgueil qu'ils avaient droit à l'aventure.

Un Chinois fin de jambes au profil de falaise est de ceux-là, qui s'appelle Mo Yun. Neuf mois auparavant, mineur au beau milieu de millions d'autres, mineur car père et mère mineurs, mineur parce que rien d'autre et que descendre au fond du trou c'est juste suivre le mouvement, il tourne soudain le dos à Datong, capitale mondiale du terril à charbon et violente marmite prolétarienne, un réflexe de survie en vérité, puisque détaler de l'ornière de l'enfance revenait à donner une chance à sa jeunesse ; après quoi l'errance, même misérable, a le goût de la patate choisie entre toutes pour sa forme et sa couleur, le moindre radis sent bon la liberté. Mo traverse la Mongolie blotti au fond d'un 4 × 4 en compagnie d'un couple de botanistes russes et une fois dans les faubourgs d'Oulan-Bator, saute en marche et oblique à droite, tout droit jusqu'à la mer, soit trois mois de voyage on ne sait comment ni avec quel argent ni surtout avec quelle force, puis c'est l'embarquement sur un porte-conteneurs néerlandais et Vladivostok-Vancouver en quinze jours de temps, quinze jours de ténèbres au bout desquels Mo sort de son caisson ignifugé par une nuit glacée. La ville lui semble dépeuplée. Il descend vers le Sud à l'arrière d'un autocar Greyhound, et là, une fois arrivé à San Francisco, Chinatown, toque à la porte d'un boui-boui craspec sur Grant Ave., un bouge huileux mais lucratif, où l'un de ses oncles l'exploite quatre mois pendant seize à dix-huit heures par jour. C'est là, dans l'arrière-cuisine, qu'il entend parler du pont pour la première fois, il repose alors calmement théières et boîtes à riz, dénoue son tablier, et quitte la cuisine, traverse le restaurant par l'allée centrale, et s'en va par la porte de devant qui est celle des clients, qui est celle de la rue et la grande porte, choisit pour sa sortie celle-là et pas une autre, la porte inaugurale,

30

salut ! À présent, la corne a épaissi sous ses pieds bruns, callosités et ridules y dessinent le planisphère, il a dix-sept ans et il est en vue des lumières de Coca.

Parmi ceux qui viennent au chantier, il y a Duane Fisher et Buddy Loo, dix-neuf et vingt ans, peau rouge, peau noire, sangs mêlés. Pour l'heure, ils boivent des cannettes de bière accroupis contre un mur sur le parking de la gare routière de Coca. Ils sont essoufflés, éblouis, tout juste surgis de la rive d'en face, déboulés de la forêt, reviennent de trois mois de jungle dans une station d'orpaillage clandestine que braquaient trop souvent policiers et bandits réguliers, trois mois à tamiser la rigole d'un alluvion aurifère nuque dévorée par les parasites sans rien bouffer d'autre que des haricots bouillis et du yucca sous toutes ses formes. Ils ont fui la zone en suivant les ravines, pieds nus dans les baskets, de la boue jusqu'aux chevilles et l'argile gluante perforée de vers giclant entre les doigts de pied slurp slurp, des moustiques pris sous les jeans, des tiques à la ceinture, mais ils ont de l'or, oui, quelques grammes, une pincée, de quoi s'acheter de la tequila et un talon de porc à cuire sur des branchettes arrachées à la hâte aux plates-bandes maladives qui poussent sur le béton des trottoirs de Colfax Avenue, à l'extérieur de la ville. Devant eux, là, assis sur le capot avant d'un 4×4 Mercedes, deux hommes en costard ferraille discutent à mi-voix, se concertent, puis avancent vers eux. Ils ont en main des formulaires de recrutement : un an de travaux les gars, salaire, assurance-maladie, points de retraite, et la fierté de participer à un ouvrage historique, une occasion en or, la chance de votre vie. Les deux garçons manipulent le papier, ne le lisent pas car ne savent plus lire, échangent un regard, signent au bas de la feuille, reçoivent une convocation pour le 1er septembre, et voilà, c'est fait, ils sont enrôlés : ils en seront, du pont.

Des femmes sont là qui ont dû jouer des coudes pour un travail sur le chantier. Peu nombreuses, mais bien présentes, le vernis corrodé sur les ongles noirs, la pâte mascara emmitouflant les cils, l'élastique de la culotte flagada sur les tailles floues. Elles ont fait leurs calculs et sont venues : la paye du chantier est bonne, surtout si l'on inclut d'avance heures supplémentaires et indemnités de toutes sortes. La plupart de ces femmes se sont taillées de chez elles du jour au lendemain, prévenant leurs collègues in extremis, le temps de fourguer une plante ou un chat entre leurs mains amènes, puis deux bises et zou, surtout pas de bière avalée entre nénettes le dernier soir, surtout pas de promesse. Arrivées à Coca, elles ont fait le siège du bureau d'embauche local de Pontoverde, se sont portées volontaires pour les travaux les plus durs, sous-qualification oblige, et sur les tranches horaires les plus merdiques, autrement dit le week-end, la nuit. Puis elles ont pris une piaule dans un des motels qui abondent sur Colfax, leurs enseignes rivales déroulant dans la nuit d'épais rubans rose fluo ou jaune d'or entre les K-Mart, les Safeways, les Trader Joe's, les Wallgreen, les parkings de voitures d'occase et tous les hangars de fringues démarquées de la planète, tous les *outlets*.

Dans l'un de ces motels, le Black Rose, dans l'une de ces chambres au mobilier succinct, au confort minimal, l'une de ces femmes, Katherine Thoreau, se décapsule une Coors, et sourit. Elle a encore sa parka sur le dos et un contrat gonfle sa poche-poitrine. Aucun de ceux qui regardent la télévision dans la pièce – un homme, deux adolescents – n'a fait attention à elle quand elle est entrée, on pourrait même se demander s'ils l'ont entendue – or, je l'affirme : ils l'ont très bien entendue pousser la porte puis se servir dans le frigo. Elle s'appuie d'une épaule contre le mur, avale une gorgée au goulot puis souriant toujours annonce : c'est bon ! Les deux garçons sursautent, yes ! Le plus jeune se précipite sur elle, vient coller une joue contre son ventre et ceindre sa taille. Katherine enfouit une main sous sa tignasse, le caresse doucement, songeuse, relève la tête, c'est pas un peu trop fort la télé ?, pose ses yeux dans ceux, graves, de l'aîné, et répète à son intention, c'est bon, on va s'en sortir, l'adolescent hoche la tête puis de nouveau se tourne vers l'écran. On n'entend dans la pièce que la voix de Larry King swingueuse et brutale, professionnelle, et le rire de Sarah Jessica Parker qui fait voir ses grandes dents et son menton pointu entre ses boucles d'or, des rires et des applaudissements, le générique de l'émission. Katherine répète baissez un peu, c'est trop fort, ça va vous coller mal à la tête. Elle finit lentement sa bouteille puis, relevant la tête du petit toujours collée contre elle, lui passe une main sur le front, chuchote vous avez couché Billie ? Le petit opine du chef. L'homme, handicapé, immobile dans son fauteuil roulant, n'aura jamais dévié son regard du poste, n'aura pas regardé sa femme.

Un autre travailleur rejoint la cohorte sans se faire remarquer – pas un seul d'entre nous n'aurait misé un jeton sur sa silhouette anguleuse, sournoise, tatouée à l'épingle à nourrice, un chat mal aimé qui se prendrait des roustes et rêverait d'en donner. Soren Cry a débarqué après trois mille bornes en stop depuis le Kentucky et l'Eastern Coalfields – ruralité fantomatique, patelins mornes et bagarreurs disséminés sur une terre vrillée par la misère, la défonce et l'alcool pour en finir avec les spectres menaçants de Cheyennes planqués dans les Appalaches, la jeunesse qui sniffe le nez dans des chiffons imbibés de white-spirit ou de térébenthine, chasse l'écureuil à la carabine, organise des rodéos de bagnoles dans la gadoue, vide des chargeurs sur des bouteilles de bière bues à la file, allume des feux dans des carcasses de pick-up rouillées, tout cela histoire de se secouer un peu les couilles une fois la nuit tombée, écoute du rock metal à s'en faire péter les tympans, comme des dégueulements de décibels, comme des râles de mort. Un bourbier. Vidé de l'armée il y a six mois pour faits de violence sur supérieure hiérarchique

– le colonel était une femme de trente-trois ans, pécore technocrate qui l'avait humilié en public, traité de plouc et postillonné au visage, cela sans doute parce qu'elle avait vu trop de films, et uelque chose en lui avait cédé, il lui avait cassé les dents –, il vivote depuis chez sa mère, des emplois ponctuels, des boulots saisonniers, et le reste du temps, rien, vaque et bricole, joue à la Game Boy devant la télévision du condominium qu'il partage avec cette femme pieuse, pauvre et dépressive, dont il a envisagé des centaines de fois le meurtre au poignard, au foulard mais qu'il embrasse chaque soir tendrement sur la tempe – et sans doute est-il parti pour ne pas avoir à la tuer.

Une multitude s'avance donc vers Coca, tandis qu'une multitude l'escorte, flux sonore, épais où se mélangent rôtisseurs de poulets, dentistes, psychologues, coiffeurs, pizzaiolos, prêteurs sur gages, prostitués, plastifieurs de documents officiels, réparateurs de télévision et d'appareils multimédias, écrivains publics, vendeurs de tee-shirts au poids, fabricants d'onguent au laurier pour soigner les cors aux pieds et de lotion pour détruire les poux, prêtres et agents d'opérateur en téléphonie mobile, tous s'infiltrent dans la place, drainés par le flot qu'engendre un tel chantier, pariant sur les retombées économiques de l'ouvrage, et s'apprêtant à recueillir ces mannes collatérales comme la première pluie après la sécheresse, dans des casseroles en fer-blanc.

Bientôt midi ce 30 août. En direction de l'aéroport de Coca, il y a ce jeune homme qui roule au volant d'une Chevrolet Impala bleu pétrole, lourde, molle, un veau. Sanche Alphonse Cameron a baissé la vitre pour sentir l'asphalte qui carbonise, l'autoroute est neuve, fluide, il a fait le plein d'essence et profite du moment, sait que bientôt il passera ses journées à soixante-dix mètres d'altitude aux commandes d'une grue géniale et que c'en sera fini de se propulser à l'horizontale.

Il connaît bien la route : dix jours auparavant, lui-même atterrissait dans cet aéroport accueilli par son nom qu'une grande main brandissait sur une pancarte, une main hors de proportion lui sembla-t-il alors, aux phalanges épaisses et légèrement rougies, aux ongles manucurés vernis de magenta, une main que prolongeait le corps vaillant de Shakira Ourga – sa voix rauque roula le « r » de son patronyme. En la découvrant entière une fois qu'elle se fut dégagée de la petite foule qui patientait, Sanche avait pris garde à ne pas laisser son regard s'affoler comme celui d'un gosse excité sur le seuil de la foire, car la fille était grande, si grande qu'elle le dépassait d'une tête, un corps bizarre, à la fois maigre et baraqué, le dos large et les bras déliés, les articulations saillantes, hanches étroites et seins ronds tenus haut et sans soutien-gorge sous une fine combinaison à bretelles, les cuisses longues moulées dans un jean, les pieds bronzés dans des mules à talons. Elle avait empoigné sa valise en lui souriant, un sourire tout aussi copieux que le reste, et Sanche surpris avait suivi les poches arrière de son jean, mouchetées de strass, jusqu'à la berline métallisée qui miroitait sur le parking – le pas de hallebardier de la Russe l'obligeant à caler le sien, il trottina. Le téléphone portable miaulant dans son sac, elle s'était éloignée lentement du véhicule pour hausser le ton, furieuse, le débit accéléré, avant de revenir vers la voiture, oreille rouge sourire forcé, et regardant Sanche par-dessus le toit de la voiture, elle avait chaussé des lunettes noires aux branches siglées avant de hurler d'une voix de tonnerre, *welcome to Coca, the brand new Coca, the most fabulous town of the moment!*

Sanche s'engage dans les échangeurs auto-routiers, doubles hélices de béton qui voltigent autour des terminaux de l'aéroport, regarde sa montre, il est parfaitement dans les temps, conduit la Chevrolet au parking – septième sous-sol, les murs suintent – et une fois de retour à la lumière du jour, lève les yeux vers le ciel surfacé à cette heure d'un bleu cobalt, dur, absolument net, c'est une immense porte : il est venu chercher l'homme qui en cet instant survole le territoire de Coca en *business class*, Georges Diderot.

L'avion amorce sa descente, à cinquante miles de là. Les passagers remuent les cervicales et regardent leur montre, ils ont faim, l'hôtesse de l'air remonte lentement le conduit central, impeccable, chignon banane et collants chair, jette de brefs coups d'œil latéraux afin de vérifier les boucles des ceintures et l'inclinaison des sièges, et chaloupe si doucement les hanches qu'elle calme de la sorte les passagers les plus aérophobes, toujours plus inquiets lors de l'atterrissage. Georges Diderot écrase son profil contre la double focale du hublot, il salive, il tressaille : le théâtre des opérations. *Here we are!* – il chuchote dans ses mains brûlantes jointes en cornet autour de sa bouche. Deux zones immenses et siamoises sont soudées l'une à l'autre par une couture serpentine et survolé de la sorte, c'est un schéma d'une folle puissance, Diderot plisse les paupières, son cœur bouge, il est touché.

Douze mille pieds. La surface terrestre précise sa partition binaire : à l'est, c'est une étendue claire, céruse crayeuse tirant sur le jaune pâle, chaume semé d'aiguilles convergeant en pelote métallique, à l'ouest, un massif obscur, mousse noire aux reflets émeraude, dense, irrégulière. Dix mille pieds : la zone blanche vibre, crépite, des

38

milliers d'éclisses éparpillées étincellent quand la zone noire, elle, se tient impénétrable, absolument close. Huit mille pieds. Une ligne de front apparaît qui agence ces deux zones, contre laquelle elles se frottent ou coulissent à la manière de deux plaques tectoniques le long d'une ligne de faille : le fleuve. Sourire de Diderot, sourire de connivence. Cinq mille pieds. Pister à présent le cours du fleuve qui vertèbre l'espace, l'articule, y fraye un souffle, un mouvement qui le doue de vie. Trois mille pieds. Observer souverain les variations chromatiques de la rivière – rouge brique argileux le long des berges, foncé brun puis violacé sur le médian du lit, ombres turquoise en bord de mangroves et langues blanches dans le creux des méandres – incision de couleur au sein de cet espace clavé en noir et blanc. Deux mille pieds. À toute allure scanner le sol qui se complique, il y a du tirage en bas, ça guerroie, ça disjoncte : topographie de l'affrontement et tension du relief, il faudra faire attention. Mille pieds. Basculer la tête en arrière et inspirer largement, fermer les yeux, c'est quoi le chantier ? Rapporter l'un à l'autre ces deux paysages, voilà, c'est ça le chantier, c'est ça l'histoire : frittage électrique, réconciliation, fluidification des forces, élaboration du rapport, c'est ça ce qu'il y a à faire, c'est ça le travail, c'est ce qui m'attend. Oh Lord !

Plus tard, à l'instant pile où le ventre de l'avion caressa la surface des eaux précédant l'asphalte de la piste, Diderot trembla violemment, des spasmes rapides coururent sous sa peau, il secoua la tête.

On obliqua vers lui des yeux inquiets ou agacés. C'était comme de voir un lourd cheval s'ébrouer au fond de son box, et fouir la paille d'un sabot réclamant le dehors, la prairie et la lumière, mais en vérité, c'était seulement un frémissement de joie et de terreur.

Le voici qui traverse le hall de l'aéroport, Diderot, on ne peut le manquer : pas si grand mais fort, tête dolichocéphale et torse comme un coffre, poignets carrés, longues jambes calmes, visage bronzé rasé de près, dents pourries, chevelure blanche plaquée en arrière sur quoi reposent des Ray-Ban fumées, et toujours cet air qu'il a d'arriver du plus loin, des confins de l'espace avec dans son dos le souffle de la plaine – Astana, Kazakhstan, le palais présidentiel inauguré trois jours auparavant était une réplique de la Maison-Blanche, Diderot avait livré l'ouvrage le jour dit au dictateur local, et s'était saoulé violemment le soir même avec un jeune maître d'échecs de retour de Berlin. Sanche fend la foule à sa rencontre, main tendue exagérément ferme, et enregistre tout : le blouson d'aviateur, la montre de plongée, la chemise blanche au col relevé, les mocassins souples, le jean propre ceinturé haut sur le ventre et les journaux pliés sous le bras, le sac de sport en cuir rouge dans quoi s'entrechoquent en cadence ordinateur portable, lampe torche Maglite hyperpuissante, mètre enroulé dans une capsule, chemise blanche de rechange, slips, quelques cartouches de Lusitania, liasse de cash épaisse et, protégé dans un épais classeur à œillets, le dossier technique du pont à construire. Salutations, poignées de main au beau milieu du flot des voyageurs. Diderot articule Diderot et Sanche répond Sanche Alphonse Cameron – c'est là son nom entier car Sanche Cameron fleure le petit Espagnol par trop suiveur et Sanche ne mesure qu'un mètre soixante-deux, alors Alphonse, dressé tout au milieu avec ce A en forme de montagne le grandit de quelques centimètres : Alphonse, c'est un prénom de grands d'Espagne, c'est sa talonnette symbolique.

Ciel rigide, stabilisé à la laque, la température est telle qu'il est impossible d'ouvrir les vitres, la Chevrolet se traîne. Au loin, les buildings de Coca sortent de terre, Lego de hauteurs disparates. Pas de radio dans ta tire, Sanche Alphonse ? Diderot a prononcé Sanchalphonse d'un claquement de langue, Sanche y voit du sarcasme, se vexe, le nom entier, il n'aurait pas dû, merde, merde. Pas de radio, monsieur, répond Sanche les yeux rivés sur le pick-up Dodge qui se prépare à les doubler sur la gauche, pas de clim, pas de suspensions, pas de radio. Eh bien, on n'est pas gâtés, dis-moi. Diderot ôte son blouson, le balance sur la banquette arrière, défait avec soin les boutons de ses manches en levant l'un après l'autre les poignets à la verticale, retrousse sa chemise, il paraît plus mince, plus élégant, allume un Lusitania : tous les gars sont là ? Sanche jette un coup d'œil dans le rétroviseur, tous, on n'attend plus que la fille. Pile à cet instant, le pick-up se rabat devant eux, puis les distance – c'est un Viper dernier modèle, monté sur des jantes de 22 pouces, puissance 500 chevaux, une bestiole à quarante-cinq mille dollars, Sanche connaît. Diderot secoue son cigare dans le cendrier qui brinquebale au-dessus de la boîte automatique. Ah. Qu'est-ce qu'elle fabrique ? Sanche appuie sur l'accélérateur, rien, elle a eu un problème, une affaire perso.

Silence. La plaine une paillasse grillée où s'agglutinent çà et là têtes de bétail et entrepôts industriels. Diderot regarde les doigts minces de Sanche qui frappent le volant, nerveux, taptaptap, renverse la tête en arrière, contemple à travers ses verres fumés le plafond rembourré de la Chevrolet et les traces crasseuses qui suintent au fond des rigoles creusées dans le caoutchouc. Il sait ce qui se trame dans le souterrain de leur conversation. Le petit a dit affaire perso, et vient de faire une première crasse à cette fille qu'il n'a jamais vue – affaire perso, soit des mots qui suintent la psychologie, le tourment intime, des mots qui puent la femme, affaire perso, qu'est-ce que ça veut dire, elle a ses règles ? – puisqu'il sait parfaitement, la petite teigne, que sur un chantier à trois milliards de dol, comme disent ceux du Siège torse bombé et sourire en proportion à l'heure de sabrer des magnums de champagne, que sur un chantier à trois milliards de dol donc, il n'y a pas d'affaire perso qui tienne, jamais.

On quitte l'autoroute, on entre dans Coca. Sanche conduit à même vitesse sur la file de gauche, le silence lui pèse, il poursuit sa grand-mère est morte ou quelque chose comme ça et Diderot répond doucement je m'en branle de sa grand-mère, puis baisse la vitre en tournant la poignée manuelle, passe un bras dehors, estime la température de l'air, trente-sept, trente-huit, chaleur sèche, continentale, c'est bon. On s'approche du fleuve, au sud de la ville, on s'arrête devant un bâtiment de brique brune situé dans un quartier tranquille sur la berge, Diderot attrape son sac, ouvre la portière, au moment de sortir pivote son buste, plante ses yeux dans ceux de Sanche, demain, sept heures, réunion de chantier.

La fille, elle s'appelle Summer Diamantis et cavale à l'autre bout du monde, dans les rues de Bécon-les-Bruyères, trottoir côté soleil escarpins jambes nues, pressée d'aller faire son sac, tout juste avertie par la bouche même du directeur de la Compagnie – une grande bouche toutefois fort peu prolixe, de celles qui ne forment que des phrases sujet-verbe-complément et s'accusent d'un hochement de tête – de son intégration dans l'équipe du pont, une fille euphorique à cette heure donc, sélectionnée, nommée, agréée responsable de la production du béton pour la construction des piles. Pressée d'aller faire son sac car elle part demain, sans blague, demain je pars à Coca, c'est ce qu'elle se dit en fonçant vers la gare du RER, je monterai dans l'avion à l'heure où les copains prendront place devant le téléviseur pour regarder la finale de la Coupe des vainqueurs de coupes, assis coude à coude, thorax incliné vers l'arrière, pieds écartés versés sur leur tranche externe et canette de bière posée sur le membre, tenue à deux doigts, l'autre main fumant ou célébrant le match, et le Tigre parmi eux aura le silence renseigné de celui qui connaît la pelouse, je m'envolerai cinq heures avant que mon père éteigne la télévision et aille croquer du somnifère, et peu après que les Blondes, parées comme des châsses et maquillées comme des crimes, toujours en mal de ponctualité, apparaîtront sur le toit de leur immeuble pour saluer le Boeing 777 qui m'exporte. Oh Coca !

Ce matin, le téléphone. Elle ne dort pas, depuis de longues minutes a ouvert les yeux et regarde la paire de baskets étrangère auprès du lit. C'est un appel du secrétariat de la direction : on veut la voir, on a quelque chose pour elle. Nue et attentive, Summer s'approche de la fenêtre. L'aube remue, les acacias brunissent. Elle répond d'une voix monocorde bien, je viens. Plus tard, elle enfile une culotte, prépare un café, et alors, dans le lit, le Tigre remue une épaule, soulève une paupière lourde de tabac et d'images en mouvement. Il la regarde à travers ses cils, elle lui chuchote pour Coca, je crois que ça va marcher, il sourit. C'est la première fois qu'il vient chez elle, la première fois que – comme quoi tout arrive toujours en même temps.

Je pars demain. Summer Diamantis est debout dans la rame, cramponnée à la poignée de la portière, corps qui tangue dans les virages et cœur comprimé, je pars à Coca, j'y vais. Le train fonce sous la Seine, les vitres tremblent dans un vacarme

45

de ferraille souterraine, elles sont noires et liquides, le visage du Tigre s'y reflète flouté dans la
vitesse, le profil des Blondes en ombre chinoise
sous le platine des crinières, la silhouette de son
père. Quand on sort du tunnel, la nuit est tombée.
Port-Royal. Summer frissonne. Elle remonte la
bandoulière de son sac sur son épaule et s'apprête
à lâcher la portière pour descendre sur le quai.
Peu de monde dans la gare, ses talons résonnent
tac tac tac sur le dallage. Une pharmacie ouverte,
c'est ce qu'elle doit trouver. Stilnox pour l'avion,
Mer calme pour plus tard, des vaccins aussi, oui,
elle doit vérifier tout cela, et trouver un moyen
d'aller embrasser le Tigre.

Puisqu'elle part demain, loin, loin, à l'autre
bout de la terre. Puisque dans dix-sept heures
exactement, on la verra sortir de l'aéroport de
Coca et s'asseoir à l'arrière d'un taxi jaune citron,
queue-de-cheval fortement élastiquée, front et
cou dégagés, elle donnera l'adresse au chauffeur
qui démarrera sans répondre, et s'engagera dans
un labyrinthe de voies express qui les propulsera
soudain au beau milieu d'une étendue plane et
vide où le ciel prendra une part excessive. Summer
aura le vertige en découvrant la démesure du
paysage, une immensité incontrôlable comme sa
respiration qui se dérègle et qu'elle ne maîtrise
plus, peu à peu elle suffoquera, malaise qui lui fera
remonter dans la bouche un goût amer, elle aura
mal à la tête, demandera au chauffeur de s'arrêter
pour qu'elle puisse prendre l'air, il immobilisera

le véhicule sur un dégagement sans poser de question, et une fois dehors, elle soufflera longuement face vers le sol, les mains sur les genoux, crachera par terre à plusieurs reprises, une fois redressée, enjambera la glissière pour faire quelques pas dans la plaine rose, poudrée, presque lunaire dans la lumière rasante de l'aube, une peau. Elle se figera un court instant pour écouter le silence perforé par les rares voitures qui blindent dans son dos, silence minéral où chaque bruit sonne distinctement et pollinise l'espace – un caillou roule, une branche craque, un scorpion gratte le sol –, un vrai silence de chat sauvage, alors la nuit en levier fera monter le jour, étirant l'espace au plus loin, comme un écran qui se tend, et l'horizon sera soudain si proche que Summer avancera son bras pour y porter la main, touchée elle-même, et percevant soudain des bruits de pas humains elle sursautera, le chauffeur sera là, c'est bon miss ? Ils retourneront à la voiture, Summer baissera la vitre puis se laissera aller contre la banquette, secouée, ils fileront sur la route jusqu'aux faubourgs de Coca, des effluves s'engouffreront dans l'habitacle, poubelles, gobelets de plastique déformés par la chaleur, viandes avariées, journaux maculés d'essence, fleurs fanées, légumes pourris, linge sale et sueur en abondance sur le tout – voilà, c'est l'odeur de Coca pensera Summer, comme si l'odeur d'une ville était d'abord celle de son ordure. Arrivée, elle saluera le chauffeur qui la regardera dans les yeux et hochera la tête, good luck miss, puis, suivant la feuille de route

47

remise par la Compagnie et apprise par cœur, elle composera le code de l'immeuble, un hall, un couloir, un ascenseur, elle commandera l'étage, une fois sur le palier sortira la petite clé dorée, clac déverrouillera la serrure, poussera la porte en retenant son souffle, tâtonnera dans la pénombre, s'avancera vers la fenêtre, un rideau, il sera six heures du matin. Elle se concentrera pour récapituler ce qu'elle doit faire dans les heures qui viennent – avant tout brancher l'ordinateur et se laver les cheveux – puis fera l'inventaire rapide de la pièce où elle vivra désormais; il y aura là un lit, une étagère vide, une table et deux chaises ordinaires, un téléviseur, un téléphone, un fauteuil, un évier, deux plaques chauffantes, un réfrigérateur, un carré de moquette et dans une pièce d'eau carrelée de vert pâle, une baignoire, un lavabo, un cabinet. Elle ne jettera pas un regard sur les feuilles punaisées sur la porte – consignes de sécurité, mode d'emploi des appareils, et plan d'évacuation en cas d'incendie – mais ouvrira la fenêtre, un balcon, la rue, et découvrira l'immeuble d'en face, une jeune femme enceinte y suspendra du linge avec soin et leurs regards se croiseront, la jeune femme sourira par-dessus la corde à linge et Summer lui fera un bref signe de la main sans trop savoir pourquoi, rentrera s'asseoir sur le lit, regardera sa montre, regardera autour d'elle, il lui faudra défaire son bagage, ouvrir les placards, y plier ses vêtements, se doucher, puis enfin, on sortira l'ordinateur de sa housse. Summer se relèvera d'un bond, enchaînera les gestes avec rapidité, comme si toute pause, tout silence, contribuait à l'affaiblir.

Une heure plus tard, elle passera les grilles du chantier, dos droit, respiration courte et cœur qui bat à tout rompre, son casque à la main. L'esplanade sera silencieuse, véhicules à l'arrêt, pas une âme qui vive, elle poursuivra sur sa lancée, le pas de plus en plus ferme, silhouette en route bien nette dans l'espace immense. Au bout de sa trajectoire, un baraquement et devant la porte ouverte, quelques hommes qui se tourneront vers elle et lui tendront la main, bienvenue Diamantis, on n'attendait plus que vous Diamantis, bon voyage, Diamantis ? Diderot apparaîtra soudain qui la saluera idem et Summer se méfiera aussitôt du bonhomme, aurait préféré un personnage plus frais, une flèche de l'équation, le stylo de communiant épinglé au rebord de la poche-poitrine, les cheveux taillés en brosse et le regard franc, au lieu de quoi il y a ce type, Diderot, la légende, de visu un Steve McQueen colossal et faisandé qui la toise comme une gosse mais aussi comme une fille, elle sera déçue. Sanche Cameron, lui, s'écartera pour la regarder mieux tandis qu'elle se présentera aux autres, la détaillera sans parvenir à se faire une idée, la trouvera étrange, de la gueule mais lourde, une démarche de gorille, des mains courtes et des épaules carrées, des hanches larges, une belle peau mate, l'épaisse chevelure blonde, mais un menton en bénitier, un nez de chien, voilà, elle aura pleinement conscience d'être la

49

bête curieuse, elle voudra faire impression et ne sourira pas, une fille au béton n'est pas monnaie courante.

organiser le tâtonnement

John Johnson, dit le Boa, est un homme de taille moyenne, corps imberbe, torse d'haltérophile et carnation chinoise, nuque forte, sourcils drus sur petits yeux fendus, pas de lèvres, dents pointues, langue grise. Il s'empare de la mairie de Coca en janvier 2005. Élu, il s'équipe. Remise ses chemises noires satinées et ses chapeaux mous, s'enquiert d'un tailleur dans Savile Row, passe commande d'une douzaine de complets sur mesure en super-cent anthracite. Adopte un régime amaigrissant, des implants capillaires, se paye un beau sourire, apprend le golf. Or, loin de voir dans sa charge nouvelle une retraite avec vue imprenable sur les rentes paisibles de la corruption, il est soudain pris de grandeur. Il se souvient des slogans de sa campagne – des phrases concoctées par des professionnels, formules puissantes qui claquent comme des étendards dans les stades et sur les places, mots d'ordre à douze pieds qui lui font le verbe haut et un menton d'orateur –, les articule en douce dans la nuit dorée, posté au balcon de la mairie qui est pour lui comme une passerelle qui le révèle au monde, imagine une gestuelle idoine et, galvanisé par ses propres paroles, subjugué par les promesses merveilleuses qu'il a tenues à la foule, le sang lui monte à la tête, son cœur bat à tout rompre : il va devenir celui qu'il a dit être, c'est sûr, voilà qu'il le décide. Désormais, il traite la fortune comme le gadget utile de la respectabilité et ne songe plus qu'à laisser une trace. On se souviendrait de lui, il marquerait son temps.

Quelques semaines après son élection, il fait un séjour à Dubaï. C'est son premier voyage hors du continent. Il est fébrile. Dans l'avion prend des sédatifs, boit du champagne, baratine l'hôtesse et s'endort juste avant d'atterrir. On le conduit dans un salon spécial de l'aéroport puis dans une limousine blanche aux vitres fumées, tandis qu'une autre suivra avec les bagages et ceux qui lui tiennent lieu de cabinet spécial. Ce qu'il voit entre l'aéroport et la ville provoque chez lui une sensation ambivalente d'euphorie et d'écrasement.

Les grues d'abord lui éberluent la tête : agglutinées par centaines, elles surpeuplent le ciel, leurs bras comme des sabres laser plus fluorescents que ceux des guerriers du Jedi, leur halo blafard auréolant la ville chantier d'une coupole de nuit blanche. Le Boa se tord le cou à les compter toutes, et l'homme en *dishdash* blanche qui le coudoie sur la banquette, le voyant faire, lui signale qu'un tiers des grues existant à la surface du globe est réquisitionné en ces lieux : une sur trois répète-t-il, une sur trois est ici, chez nous. Sa toute petite bouche soulignée d'un trait de moustache articule très doucement nous construisons la cité du futur, une entreprise pharaonique. Le Boa ne dit plus rien. Il salive, émerveillé. La prolifération des tours le sidère, si nombreuses qu'on les croit multipliées par un œil malade, si hautes qu'on se frotte les paupières, craignant d'halluciner, leurs fenêtres blanches comme des milliers de petits parallélogrammes aveuglants, comme des milliers de pastilles Vichy effervescentes dans la nuit délavée : ici on travaille vingt-quatre heures sur vingt-quatre, les ouvriers sont logés à l'extérieur de la ville, les rotations se font par navette – l'homme susurre chaque information, escortant l'étonnement du Boa avec délicatesse. Plus loin, il pointe d'un index cireux un édifice en construction, déjà haut d'une centaine d'étages, et précise : celle-ci sera haute de sept cents mètres. Le Boa hoche la tête, s'enquiert soudain des hauteurs de l'Empire State Building de New York, ou du Hancock Center de Chicago, questionne sur les tours de Shanghai, de Cape Town, de Moscou, il est euphorique et médusé. À Dubaï donc, le ciel est solide, massif : de la terre à bâtir. Le trajet est long dans la longue voiture, la mer tarde à venir, le Boa l'attend plate, inaffectée, lourde nappe noire comme le pétrole dont le pourtour s'effacerait dans la nuit, et il sursaute à la découvrir construite elle aussi, rendue solide, croûteuse, et apte à faire socle pour un archipel artificiel qui reproduirait un planisphère – la Grande-Bretagne y est à vendre trois millions de dollars – ou un complexe d'habitations de luxe en forme de palmier : elle aussi, donc, de la terre à bâtir.

Le Boa arrive à son hôtel bouleversé, les joues rouges et les yeux exorbités, il peine à s'endormir, la nuit est trop claire, comme filtrée par une gaze chaude, lui-même trop excité – le Burj Al-Arab est l'hôtel le plus haut du monde, une immense voile de verre et de Teflon gonflée face au golfe Persique qui est absolument noir à cette heure, et clos comme un coffre que rançonnent des pirates en guenilles armés de kalachnikovs. Au réveil, le Boa est convaincu d'avoir trouvé l'inspiration qui manquait à son mandat. C'est un espace maîtrisé qui s'offre à ses yeux, un espace, pense-t-il, où la maîtrise se combine à l'audace, et là est la marque de la puissance.

En milieu de matinée, l'homme qui l'avait accueilli la veille revient le chercher pour le guider en ville. Son keffieh se drape et flotte calmement dans son dos telle une cape de mage dès qu'il force l'allure – personne ne sait, sauf moi, qu'il s'est enlisé dans une mélancolie funeste, qu'il cornaque les officiels pour fuir le palais, personne ne sait qu'il a le projet de retourner au désert vivre avec les oryx, les fennecs et les scorpions, allongé sous une tente doucement ventilée par les brises du désert, il écrirait des poèmes et fumerait le narguilé, personne ne sait qu'il crache de rage contre le miroir qui le reflète, lui et le hall de sa villa tout aussi vide, marbrée, tout aussi géante, inerte et insensée que le reste. Le Boa s'emballe, son rythme cardiaque accélère, plaisir et étourdissement mêlés. La ville s'appréhende comme une fantasmagorie consumériste, un gigantesque ghetto pour milliardaires nomades et un modèle d'univers virtuel où perdre la tête : étrange combinaison d'hôtels au faste ostentatoire, de galeries marchandes à l'opulence inouïe – le plus grand duty-free du monde sur des kilomètres de vitrines, des noms qui frappent sec, excitent le désir et bastonnent une clientèle exclusive de princes arabes, rock stars anglo-saxonnes, oligarques russes, capitaines d'industrie chinois –, de parcs à thèmes extravagants – une station de ski *indoor* avec sommet enneigé, remontées mécaniques et ours polaire, un complexe thermal de style andalou, un village nubien, un hôtel sous-marin, un giga-zoo. Le Boa se perd dans l'espace-temps. Nous devrions atteindre bientôt les quinze millions de visiteurs, l'accompagnateur précise ces données dans un anglais si élégant que le Boa peine à le comprendre, il perd les pédales, il succombe, balbutie en boucle quand je pense qu'il y a vingt ans, n'y avait rien ici, rien, un bout de désert, de l'écorce terrestre sablonneuse et pas même de pétrole, et aujourd'hui quoi ? Le paradis.

On le conduit au palais peu avant midi pour une courte audience auprès de l'émir Mohammed Al-Maktoum – celui que le Boa appelle imprudemment « mon homologue ». Il fait antichambre trois heures durant, met son attente à profit en imaginant des partenariats entre Coca et Dubaï, mouline des idées tandis que derrière l'épaisse porte capitonnée, cheikh Mo grignote des pistaches avec son ministre de la Guerre en marmonnant quelques questions sur les capacités techniques et militaires des avions Rafale présentés la veille sur le tarmac du Bourget, à Paris, France. Enfin, on consent à recevoir le Boa, et le voilà qui s'avance petit bonhomme parfumé dans une salle dallée de marbre dont la superficie lui évoque subitement la salle des pas perdus de Grand Central Terminal, New York. Il est fort d'une idée, les chevaux, et son pas est plein d'allant. De loin, le cheikh lui apparaît massif et immaculé comme l'autorité, mais prend forme humaine à mesure qu'il avance – l'*akal* de son keffieh tombe légèrement sur une oreille, si bien que le monarque est bancal de la tête. Le Boa salue le prince selon le protocole – surtout ne pas s'approcher trop près du corps sacré du cheikh. Puis ce dernier claque dans ses doigts, fait porter à son hôte un nouveau bol de pistaches et les voilà assis à cinq mètres l'un de l'autre. Donc les chevaux. Le Boa, au lieu de présenter bêtement ses respects au prince, lui fait part de son souhait de développer les haras dans sa ville, Coca. Le cheikh fronce les sourcils, ne sait d'où sort ce petit être énergique, n'a jamais ouï le nom de sa ville, il hoche la tête, très calme. Le Boa déroule, déroule sur sa lancée, les hautes plaines, à l'est de Coca, figurent parmi les meilleurs pâturages au monde, l'herbe y est merveilleuse et l'eau pure. C'est un sujet que le cheikh apprécie : il est

58

cavalier, a lui-même brillé dans les concours et la famille princière possède la plus grande écurie de pur-sang au monde, des bêtes magnifiques négociées à prix d'or dont la plupart lors de la vente aux yearlings, à Deauville. La conversation roule ainsi plus de quatre minutes, un record, et finalement le cheikh acquiesce : une coopération se dessine. Le Boa se blesse l'intérieur de la bouche en croquant violemment une pistache.

À Coca, ce qui est maintenant appelé le Voyage à Dubaï fait événement. On en mesure l'influence à l'aune de l'urbanisme déjanté qui enfièvre la ville. Désormais le Boa affiche pour sa municipalité une ambition très claire : mettre un terme à trois siècles de prudence conservatrice, se débarrasser une bonne fois pour toutes du vieil argent cravaté qui régente les quartiers cossus du centre, abattre la dynastie des Cripplecrow et celle des Sandless qui cousinent incestueusement depuis deux siècles dans les draps de satin et les vapeurs de cigare, maîtrisent la ville plus qu'ils ne la dirigent. Il veut en finir avec leur componction érudite, leur culture, leurs archives, trop d'Europe ici, trop d'Europe, c'est ce qu'il répète à tout bout de champ, identité lourde, traditions qui collent : ça pue la mort ! Il s'emploie dès lors à éclater le centre-ville, à péter son noyau dur, son noyau historique, à en pulvériser le sens en périphérie. Les vieux bâtiments et districts bourgeois, garants des origines et symboles des valeurs des pionniers – courage physique, esprit de conquête, travail, piété, monogamie et toute autre qualité qui exalte l'enracinement –, sont reprogrammés en musées : la poussière est ce qui leur va le mieux, ricane le Boa que son action porte ailleurs, hors de tout périmètre patrimonial, loin de toutes les vieilles fictions qui ont engendré le plan de la ville. Je vais aérer tout ça. Je vais désenclaver la ville et l'inscrire dans le monde. S'ensuit une ère de grandes manœuvres où circulent des enveloppes de kraft à l'intérieur desquelles des liasses de billets neufs crissent comme des biscottes.

En moins de trois mois, le Boa obtient du Sénat que Coca soit déclarée zone franche et jumelée avec Dubaï, obtient auprès de la banque de l'État – dont sa société d'investissement avait pris le contrôle – un prêt en dollars à taux bas et fixe pour un programme urbanistique d'envergure et accorde à la municipalité une concession de cinquante ans concernant chacun des principaux équipements réalisés. Ses prises d'intérêts privés dans les projets municipaux avaient de quoi affoler ses collaborateurs les plus malins comme les plus serviles, mais il ne s'en trouva aucun pour le mettre en garde et chacun sait pourquoi : le Boa préside une forteresse maçonnée au trafic d'influences dont il contrôle tous les accès et tous les ascenseurs, il est fort, riche, et peu regardant sur le prix à payer pour rester dans les bonnes grâces des institutions et organismes respectés de la ville. Il joue en tout de la prudence tactique des reptiles carnassiers qu'il chasse depuis l'enfance et déploie des stratégies si discrètes que seuls des individus dotés de sa noirceur peuvent en déceler la vigueur prédatrice à long terme – ils étaient rares, ceux-là, ébahis et assommés, se sauvaient à toutes jambes – et, fort d'avantages microscopiques qui finissent par s'activer entre eux, le Boa passe à l'attaque par surprise avec la brutalité glacée qui est sa marque de fabrique, et frappe. Ceux qui envisagent de se mettre en travers de sa route sont moqués publiquement esprits secs, étroits, chagrins. N'ont rien compris à la marche du monde. Lui-même s'en désole, mais il les élimine – que voulez-vous faire d'autre, franchement, que voulez-vous que j'en fasse ? La machine implacable qui tourne maintenant à plein régime se charge de les étouffer lentement. Après tout, le Boa n'agit-il pas pour le bien de la ville ? Ne se met-il pas totalement – lui, ses sociétés, ses écrans, ses hommes, ses chiens – au service de ses concitoyens ? Il a des idées pour Coca, il est élu et il tient ses promesses : il est John le bienfaiteur.

Désormais, il administre le territoire par oukase, circulant à pas lents autour de l'immense maquette de la ville qu'il a fait installer au centre de son bureau – un général en campagne élaborant des stratégies, voilà à quoi il fait penser –, torse incliné penché sur son modèle réduit, mains croisées dans le dos, scrutant une portion de carton puis soudain saisissant une baguette commandant une Internet City ici, une Media City là, un complexe commercial ici – labyrinthe de *malls* dallés de porphyre et enjolivés de fontaines et de kiosques à cappuccino –, un stade omnisports là, une patinoire en forme de soucoupe volante, un multiplex souterrain de cinquante salles, une piste cendrée sur le toit d'une barre d'immeuble, un casino sous une cloche de verre. Il veut de la transparence, du plastique et du polypropylène, du caoutchouc et du mélaminé, du provisoire, du consommable, du jetable : tout doit être mobile, léger, convertible, souple. Survolté, il s'adonne à la manipulation d'un meccano gigantesque qu'il reconfigure quotidiennement, grisé par la gamme infinie de nouvelles possibilités formelles, par les *pôles* qu'il dessine, par les *zones* qu'il découpe, par les *nœuds d'activité* qu'il définit et positionne sur les plans. Il n'a plus qu'une idée en tête, sortir Coca de l'anonymat provincial où elle sommeille tranquille pour la convertir à l'économie mondiale, en faire la cité du troisième millénaire, polyphonique et omnivore, dopée à la nouveauté, dévolue à la satisfaction, à la jouissance, à l'expérience de la consommation.

Une chose cependant blesse sa fierté : isolée, Coca est rationnée en énergie et dépendante des villes de la côte. Les investisseurs l'ont fuie pour cela, impossible de faire juter la croissance dans un bled étriqué où l'on serre les fesses, où l'on regarde à la dépense. De plus, les pétroliers qui avitaillent la cité ainsi que ses rares sites industriels rechignent à remonter le fleuve jusqu'aux citernes situées en aval de la ville et le Boa y voit de la condescendance – il paye cash oui ou merde ? Il fulmine, réfléchit – seul d'abord, car convaincu que les siens sont incapables d'avoir une idée. Un soir un documentaire sur les biocarburants passe à la télévision. Le sujet l'accroche, c'est une révélation, dès lors il le potasse. Le maïs abonde dans la vallée et Coca dispose de milliers d'acres de réserves – les hautes plaines rouges et la forêt dont on pourra défricher les franges puis l'intérieur du massif si les Indiens «jouent le jeu» – qu'ils nous fassent pas chier, c'est tout ce que je leur demande, voilà comment se parle le Boa. Au terme d'un conseil municipal mené tambour battant début mars 2006, il décide de convertir la ville à l'éthanol. On développera un port autonome en amont, dans la boucle du fleuve, un terminal apte à héberger les navires tout tonnage et les raffineries corollaires. Ainsi alimentée, la ville exportera le surplus d'énergie sur la côte, inversera la donne, brillera à l'avant-garde des enjeux écologiques mondiaux. Coca ville verte. Le Boa se frotte les mains, ravi de son coup, il a bien travaillé. Maintenant, il lui faut un pont. Un pont pour entrer dans la forêt et gagner les vallées fertiles au sud-est du massif, un pont pour connecter la ville à la Baie océane.

Le vieux Golden Bridge est dans le collimateur. L'ouvrage est étroit, il étrangle le trafic, d'où énervements, doigt d'honneur brandi à travers les vitres, lenteur et mise en péril des affaires. Il est insuffisant. Le Boa ne peut plus le voir sans entrer en rage. Je veux en finir avec le lent, le vieux, le

63

poussif. Je veux qu'on le détruise. Qu'on le foute à la casse, au rebut, qu'on le fasse pourrir, dépecé. Des associations quand même s'émeuvent. Des pétitions circulent pour sauver le passage – c'est l'âme de notre ville, un pan de notre identité, c'est un lieu de mémoire – déplorant l'uniformisation des villes, les fast-foods et les enseignes de fringues identiques de Quito à Vladivostok, les spécificités identitaires qui cèdent sous la pression capitaliste, la mondialisation qui contamine le moindre bout de trottoir et lisse les façades. Le Boa est interloqué, il écoute mais ne comprend pas, ne voit pas le problème, invoque les désirs de la jeunesse et la modernité : il suffit les boulets ! qu'y a-t-il de mal à vouloir aller de l'avant ? D'ailleurs le vieux pont tombe en déshérence et le fleuve sous les piliers y est sombre, nauséabond. La rouille fait lèpre toxique sur ses poutrelles et ses plaques, le bois du tablier craque, on le sent qui bouge. Les Indiens ont fini par coloniser les échoppes aménagées sur toute la longueur du tablier, minuscules alcôves où ils coagulent des jours entiers pour fumer, entassés, ou mollement vendre toutes sortes de bijoux, gris-gris, pipes, colifichets. De petites merdes pour petites bourses s'énerve le Boa : je veux que ça dégage.

Le Boa veut son pont, donc. Pas n'importe quelle arche, pas n'importe quel viaduc cogité à la hâte mais un pont à l'image de la nouvelle Coca. Il veut quelque chose de large et fonctionnel, il veut au moins six voies – une autoroute par-dessus le fleuve. Il veut une œuvre unique. Fait le tour de ses obligés, de ses connaissances, leur formule son désir mais nul ne lui en retourne l'interprétation qu'il attend. En secret, il se saisit d'un papier et d'un crayon, trace lui-même des esquisses, mais il a beau forcer la vitesse de son trait pour tenter de capter une forme pure – ridicule en cet instant, touchant, échevelé et maladroit, mimant le geste de l'artiste –, il ne trouve pas. Un de ses conseillers lui souffle habilement de lancer un concours. Un tel sujet appelle une expertise, du prestige, un architecte dont la carrière glorieuse porterait au plus haut, au plus loin les ambitions d'une cité. Le Boa se vit Médicis, prince mécène en cape de velours, s'en aima davantage, et loin d'en prendre ombrage, accepta qu'une gloire étrangère vienne prendre appui sur ses terres pour faire monter la sienne.

Fallait-il encombrer la Terre plutôt que le ciel ? Fallait-il démontrer sa force, opter pour un ouvrage puissant, une combinaison de pièces massives, lourdes, tel le pont de Maracaibo ? Fallait-il un ouvrage transparent, aérien, une construction où les structures concentrent la matière en peu d'éléments, une option de finesse, tel le viaduc de Millau ? Fallait-il désenclaver une ville ou souder deux paysages, fallait-il surseoir à la nature, utiliser ses lignes ou s'y incorporer ? Le Boa ne sait pas, il veut tout. Il veut l'innovation et la référence, l'entreprise florissante, la beauté et le record mondial. Un homme se présente qui a la solution. Il se nomme Ralph Waldo, débarque de São Paulo, c'est un architecte à la fois célèbre et secret. Il entre dans la salle requise pour les auditions du concours, les mains libres et calmes le long du corps, il décrit la forme qui ramasse les lieux : pour dire l'aventure de la migration, l'océan, l'estuaire, le fleuve et la forêt, la passerelle de lianes au-dessus des gorges et le tablier qui joue au-dessus du vide, il a choisi un hamac hautement technologique ; pour dire la souplesse et la force, la flexibilité et la résistance aux forces sismiques, il a choisi un matelotage de câbles et des ancrages de béton massifs ; pour dire la cité ambitieuse, il a choisi deux tours de métal enfoncées dans le lit du fleuve, gratte-ciel émetteurs de puissance et capteurs d'énergie ; pour dire le mythe, il a choisi du rouge. Soit un pont suspendu d'acier et de béton. L'architecte annonce des mensurations comparables aux plus grands ponts suspendus de la planète, la plupart ponts d'estuaires ou de passes océaniques. Longueur : mille neuf cents mètres ; travée centrale : mille deux cent cinquante mètres ; largeur : trente-deux mètres ; hauteur du tablier au-dessus de l'eau : soixante-dix mètres ; hauteur des tours : deux cent trente mètres. Une folie de grandeur, comme un énorme désir dans un très petit corps. Or, Waldo l'affirme, la seule présence de ce pont au cœur de Coca fera paraître la ville plus grande, plus ouverte et plus prospère – un simple jeu de proportions rapporté aux harmoniques de l'espace, la perception d'un franchissement plus que celle d'un pont, une singularité optique.

Donne-moi les plans et je te construis ce que tu veux, n'importe quoi, même un pont pour l'enfer – Diderot fumant dans son bureau du vingtième étage de la tour Héraclès à la Défense, face à la baie vitrée, masse noire taillée à contre-jour sur le carreau layette, homme de grand format surplombant une capitale de confetti électrisée par les départs du vendredi soir – donne-moi les plans putain, les plans, c'est tout.

Le président-directeur général d'Héraclès interrompu dans ses salamalecs avait marqué un temps d'arrêt, et souri tout en flanquant un dossier sur la table de travail, et au bruit mat du carton contre le bois du plateau – un boum qui claquait dans la pièce comme le pistolet du starter – Diderot avait pris une énorme inspiration gonflant exagérément le volume de sa cage thoracique et furtivement baissé les paupières : c'était bon, le chantier était pour lui. Il ne se retourna pas tout de suite vers le messager et savoura la nouvelle : il ne finirait pas sur l'édification de l'aile neuve d'un grand musée privé, la tranche supplémentaire d'une centrale nucléaire ou le creusement d'un énième parking ultramoderne dans une ville de province, non, les hommes du Comex (comité exécutif d'Héraclès) lui offraient un pont pour clore sa carrière, sacre et camelote managériale dont il tairait son dégoût, il les laisserait venir le féliciter, le flatter sur l'épaule, des tapes conclusives qui lui donneraient envie de retourner son poing dans leur gueule hypocrite, mais il n'en ferait rien, prendrait ce qu'il avait à prendre, un pont, mimerait la fierté docile et pour tout le reste, pour la couronne et les cajoleries, ce serait retour à l'envoyeur : il n'y avait là pour lui qu'un horizon de travail. Bien entendu on gloserait dans la boîte, on commenterait sa désignation bâton de maréchal, Héraclès vous doit beaucoup, merci cher ami, et les jeunes ingénieurs qui s'étaient pressés sur les rangs à l'annonce de l'ouverture du chantier ne se gêneraient pas pour râler dans les couloirs car, merde, Georges Diderot avait beau être une légende, il avait vieilli, ses méthodes de management n'étaient pas franchement d'équerre et il n'était pas issu du sérail – pas un jeune chacal de l'X avec des fourmis dans les jambes, un *performer* des Mines ou un cacique des Ponts et Chaussées, pas un cerveau supersonique lubrifié au calcul vectoriel, fonctions à plusieurs variables, dérivés, diagonalisation, espaces euclidiens et séries de Fourier. Diderot c'était une carrière complexe, difficile à suivre, plus latérale que verticale, hybridée au plus haut point à toutes sortes de compétences, un mélange d'ingénieur maison entré par la petite porte et finissant par siéger au Comex et de star free-lance, un type qui fumait dans les ascenseurs, un tutoyeur de pédégés.

Quand Diderot se retourna enfin, celui qu'il appelait avec ironie le grand chef indien était sur le seuil de son bureau et d'un haussement de sourcils lui indiquait le dossier, t'as de la lecture. Dans la chemise banale, les conclusions des premiers sondages opérés par les géotechniciens à Coca et les quantitatifs de l'ouvrage. Assis à sa table, Diderot feuilleta dans cet ordre – qui était à rebours.

Aux premiers feuillets, il reconnut son langage, il était là chez lui. Mesures, tableaux, graphiques, ces conclusions détaillaient avec précision les informations livrées par les sondes récemment posées sur le sol de Coca, têtes chercheuses munies de petites charges explosives dont on analysait les déflagrations – bruit, propagation et vibrations des ondes de choc – afin de connaître la réalité de la matière, sa morphologie interne, la teneur de sa constitution, sa potentialité. Pour Diderot, ces notes avaient quelque chose de terriblement émouvant : c'était comme de lire ce que répercutaient en surface les petits coups de canne blanche que l'aveugle donne contre le sol pour seulement pouvoir marcher dessus – mais encore fallait-il travailler à se donner ces cannes blanches, justement, à les inventer, puis à les manipuler avec attention afin qu'elles frappent correctement, de petits coups nets, secs, afin qu'elles soient simplement dignes de confiance. C'était la description sensible d'un tâtonnement gigantesque et c'était là tout ce qu'il aimait, ça ressemblait vraiment à la vie.

La nuit était tombée depuis longtemps et la tour vide quand il jeta un œil sur les quantitatifs, des chiffres qui s'alignaient ou s'étageaient en colonne sur plusieurs feuillets. Des chiffres qui parlaient d'eux-mêmes auraient dit les jeunes têtes anciennement taupes dans des bahuts sans grâce, des chiffres qu'il fallait faire parler leur aurait rétorqué Diderot qui se frottait les mains. Ces mesures impliquaient autre chose qu'elles-mêmes, une temporalité, une organisation du travail. Deux millions de tonnes de béton. Quatre-vingt mille d'acier. Cent vingt-neuf mille kilomètres de câbles. Diderot enregistrait ces données sans se laisser impressionner, se les chuchotait pour lui-même, et en prolongeait la signification à toute vitesse : prévoir la construction sur site d'une centrale à béton et anticiper l'acheminement de ses composants – ciment, gravier, eau, sable –, planifier les approvisionnements en acier, coordonner leur transport à Coca, et surtout, une fois sur la plate-forme Pontoverde, les faire parvenir sur le site même du pont, en bordure de fleuve. Il y aurait des querelles d'ingénieurs, les partisans de la voie terrestre défendraient la construction de voies – routes ou rails – qui éviteraient les ruptures de charges longues et coûteuses, les métaux étant chargés sur leur lieu de production, dans les aciéries de la Blackoak Inc., situées dans le Maryland, le New Jersey et la Pennsylvanie, et déchargés directement au pied des piles du pont, quand ceux de la voie marine argueraient de la souplesse et de la commodité de barges flottantes qui migreraient sur le fleuve, et ces derniers, parmi lesquels Diderot, l'emporteraient.

Diderot se leva de nouveau pour aller à la fenêtre. Être un *bridgeman* une fois encore. C'est bon, ça. Il exultait en silence – construire un pont est encore une source d'allégresse, même dans un trou pourri comme Coca, un bled dont personne n'a jamais entendu parler. Le travail par excellence quand on est ingénieur. Il piétinait devant la baie vitrée, front brûlant maintenant collé à la vitre qui grésillait des lumières de la nuit comme du papier qui brûle, et déjà s'amusait à l'idée de déconcerter son entourage par trop prompt à le complimenter, à l'idée de déjouer son admiration bébête car, vraiment, il était désolé mais la symbolique de l'ouvrage – le trait d'union, le passage, le mouvement, blablabla – lui passait au-dessus de la tête, il s'en foutait éperdument : ce qui l'excitait, lui, c'était l'épopée technique, la réalisation des compétences individuelles au sein d'une mise en branle collective, ce qui le passionnait c'était la somme de décisions contenue dans une construction, la succession d'événements courts rapportée à la permanence de l'ouvrage, à son inscription dans le temps. Ce qui le mettait en joie, c'était d'opérer la validation grandeur nature de milliers d'heures de calculs.

C'est la réunion de chantier, il est bien sept heures du matin et c'est Diderot qui parle, levé montagne en bout de table ovale. Salle nue, cloisons minces, moquette rase hâtivement posée, odeur de colle, odeur de neuf, café lyophilisé, on a traîné là des chaises scolaires. Lesquelles hébergent une cinquantaine d'individus parmi lesquels Sanche Cameron le grutier, et Summer Diamantis la fille en charge des bétons – ces deux-là, Diderot les observe à la dérobée, le garçon la face hallucinée, la fille qui prend des notes sans lever la tête. Diderot a précisé à leur intention, les doigts réunis en bouquet sur son torse, oh, les jeunots, appelez-moi Diderot.

Il se racle la gorge puis commence à voix forte. Ok, on y va. Feuille de route : un, creuser la terre – il lève le pouce ; deux, draguer et aménager le fleuve – il lève l'index ; trois, démarrer le béton – il lève le majeur. Se tourne pour abaisser un écran mural, met en route un ordinateur portable, se retourne, regarde lentement l'assistance, puis les premiers mots claquent.

Creuser la terre, donc. Il se tourne vers la carte géomorphologique affichée sur l'écran, sort une zappette de la poche arrière de son pantalon : ici coexistent deux types de sols. Un – un point rouge lumineux se pose sur la carte, parfaitement synchrone : Rive Coca. Le causse de la haute plaine. Aride en surface, fracturé en profondeur – dur au cœur tendre, c'est le coup de la frangipane, on connaît, on n'aime pas beaucoup, mais on aime mieux ça que l'inverse, hein! La salle acquiesce, des rires fusent, doux et connivents. Problème – Diderot pivote vers l'auditoire sans sourire –, on a des roches calcaires qui reposent sur des argiles marneuses capables de provoquer des glissements de terrain. Faire très attention. Deux – même chorégraphie de Diderot : Rive Edgefront. Sol humide et habité, racines à arracher, trouer la glèbe et descendre chercher le minéral, pour s'y appuyer, pour y faire socle. Donc deux types de sol d'où deux types de matériel, mais une seule compétence : le geste néolithique! Autrement dit entailler la terre – et toujours il joint le geste à la parole, le tranchant de sa main fend l'espace au-devant de lui, il joue la scène, il aime le théâtre. Enfin, il récapitule à voix haute en pointant l'une après l'autre deux taches rouges sur la carte : on va commencer par faire deux trous pour ancrer le pont. C'est bon? Bon. Je continue. Draguer le fleuve – Diderot enchaîne tandis qu'un changement de carte s'opère sur l'écran : on procède comme d'habitude, on fait passer la drague, on nettoie, on désenvase, on stocke les matériaux biodégradables dans les clairières défrichées ici, et là – deux coups de zappette consécutifs dans le massif forestier –, et les matériaux pollués sur une barge qui redescendra tout le fleuve et ira me foutre ce merdier par deux mille mètres de fond dans l'océan. Voilà. On a passé des accords avec la municipalité, il faut le faire. Et derrière ce n'est pas fini, on aménage le fleuve, on recreuse le chenal, on l'élargit jusqu'à hauteur du futur port autonome, ensuite on consolide, on érige les digues qui recevront les métaux, et on creuse, on creuse le fleuve pour y enfoncer les tours.

Prises de notes sur les carnets et pattes de mouche des hommes en chemisettes claires, il fait chaud, on ouvre les hublots pour plus de fraîcheur, la salle s'enfle de la clameur du dehors – vrombissement des autoroutes, vacarme de la place boursière, affolement de canards sauvages, moteurs teuf teuf teuf des canots sur le fleuve, aboiements de chiens, coups de feu – et la voix de Diderot se torsade avec elle sans la recouvrir. Drôle de bande-son pense Sanche Cameron qui ferme les yeux un instant, puisque ne les a pas fermés de la nuit saisi qu'il était sous le drap par la fébrilité qui s'était emparée de lui, tellement heureux que le chantier démarre, que commence enfin la grande vie qui l'attend là. Il louche de biais sur Summer qui s'escrime à tout écrire, se dit que c'est bien les filles d'être consciencieuses comme ça. Diderot a repris la parole.

Et maintenant, le béton. Votre pré carré, Diamantis! – il s'oriente vers Summer, leurs yeux se croisent, la fille se redresse d'un coup sur sa chaise, Diderot étend les bras et fait des cercles dans l'atmosphère, il ajoute d'une voix blanche : vous avez la responsabilité d'alimenter le chantier, Diamantis, vous êtes en charge du mouvement perpétuel. Puis il remonte l'écran d'un geste sec, comme on tire sur un store, éteint l'ordinateur, des feuillets polycopiés détaillant la phase 1 du chantier se mettent à circuler. Personne n'ayant formulé de questions à voix haute, on se penche sur les documents, on échange sur les données techniques, puis le métreur confirme les quantitatifs de la construction, l'intendant présente les menus de la première quinzaine, on évoque le vin à midi – 25 centilitres par ouvrier –, et Diderot tranche niet, blanc de rage. Sortez tous. Terminé.

Summer Diamantis n'a qu'une idée en tête : aller voir la centrale à béton. Remuement de papiers, repositionnement de chaise, elle s'isole en bout de table, traîne, feignant de lire des notes, attend que les hommes finissent de sortir, et maintenant certains se retournent vers elle sur le seuil la porte, à demain Diamantis! Et d'attaque hein, Diamantis!

Quand elle sort des baraquements, il est environ neuf heures du matin et elle se fait surprendre par la chaleur, par le souffle de la chaleur, quand rien ne bronche pourtant dans le ciel, un coussin de vapeur brûlante l'empoigne par la nuque, et

chauffe ses cervicales, déjà, elle s'éponge le front.
Elle se met en route à travers le chantier, cent
mètres de diagonale, sol caillouteux couleur plâtre,
crissements de ses pas dans le silence, elle avance,
passe les grues et les véhicules qui rutilent à l'arrêt,
les baraquements bleutés, enjambe des couples de
rails et contourne des citernes, la terre fume sur
son passage, bientôt enfarine ses chevilles, pas une
âme qui vive de ce côté-là, rien, c'est dingue, elle
regarde sa montre machinalement, pense demain
à la même heure on aura commencé, poursuit sur
sa lancée, la gorge serrée, le pas de plus en plus
ferme, silhouette précise dans le chantier tout
propre, la main bientôt en visière à hauteur des
sourcils, accélère, se répète les mots de Diderot,
les maxillaires tendus par un sourire qui conges-
tionne sa bouche puisqu'elle n'entrouvre pas les
lèvres, trop fébrile elle aussi, donc il avait dit : le
béton, Diamantis, c'est votre pré carré – elle avait
hoché la tête avec sérieux, oui –, la centrale, les
tours, les stocks, les toupies, tout ça, c'est vous – et
il avait le geste ample et la voix forte, la regardait
au fond des yeux, lui désignait sa place. Tout ça,
elle le voit maintenant qu'elle est sur le seuil de
la centrale, tout ça compte environ cent mètres
de long sur soixante de large, autrement dit une
belle portion de territoire, laquelle est frangée sur
sa longueur par un quai sur le fleuve. Summer
aussitôt s'applique à en reconnaître l'organisation
interne. Ses yeux passent du fleuve au quai, du
quai au monticule géant placé au centre de l'espace – ciment, gravier, sable –, suivent le tracé

des bandes transporteuses qui relient le cône des matériaux aux tours à béton orange sanguine, repèrent les bâtiments de malaxage, longent le laboratoire, passent en revue chacun des douze camions-mixeurs, toupies alignées au cordeau prêtes à s'élancer, s'attardent sur la zone de recyclage, les bassins de décantation et de traitement des eaux. Travelling panoramique, schéma de circulation, Summer constate la validité de l'organisme : une usine à ciel ouvert, une usine à béton. Alors tout ça c'est moi ?

On comprend qu'elle s'interroge. Si le pont de Coca l'avait élue, Summer n'avait pas toujours été sélectionnée. Cette embauche rachetait d'un seul coup certain événement de son enfance, événement étiqueté trauma inaugural par un psychologue qui coloriait des damiers sur du papier quadrillé pendant les séances : sa mère, quittant la maison, prit son petit frère dans ses bras et la laissa, elle. Pas assez de temps pour deux enfants, pas assez d'argent non plus, pas assez de place dans le deux-pièces de la banlieue chic de Saint-Raphaël où elle partait refaire sa vie. De la rationalité donc, du pragmatisme, tu es assez grande, sept ans ça se fête, mon amour, mon amour murmurait-elle, et aussi la petite était tellement comme son père, besoin de personne, de taille à tout et autres caresses suspectes sur le haut de son crâne. Summer demeura ainsi avec l'ex-mari qui l'avait bien cherché – puisque versé dans une polygamie admirablement organisée et par ailleurs sincère.

C'est donc moi qui te récupère lui dit-il le soir où ils se retrouvèrent seuls attablés dans la cuisine, devant un plat en Pyrex où refroidissait du hachis parmentier. Après quoi, ce fut Saint-Raphaël aux vacances scolaires, sa mère la réclama peu. Son père aussi, à sa manière. La petite eut la paix. Du moins, on veut le croire. Eût-il fallu qu'elle naisse dans un corps de garçon pour être choisie par sa mère ? Eût-il fallu qu'elle remplace ensuite auprès de son père le petit mâle rondouillard emporté sur la Côte d'Azur ? On observe qu'elle s'éleva comme un garçon, ou plutôt comme elle s'imagina qu'un garçon devait l'être, ce qui la conduisit à tenir pour obligés des passages facultatifs tout autant qu'aléatoires. Elle s'outilla de manière à compenser le geste maternel : foot et jeux vidéo, bande dessinée et romans d'anticipation, mathématiques, physique, et dessin industriel. Vêtue à l'identique par tous les temps – un jean, une veste, peu de couleurs, les cheveux coiffés en queue-de-cheval –, elle apprit à démonter puis remonter un moteur de mobylette, dans les fêtes se posta à la sono et mixa les disques plutôt que de s'aligner contre le mur aux premières mesures des slows, but comme un trou et fuma comme un sapeur, des Marlboro on le devine – cow-boy pour cow-boy, elle est experte en westerns, incollable sur tous les Rio et toutes les River, ce qui lui sera d'une grande utilité, on le verra. Dure au mal, concise, infatigable, fille d'acier aux yeux secs, on pouvait compter sur elle en somme, s'abstenir de la ména-ger – ça va, grande fille, à quoi tu penses ? C'était tellement grossier que personne ne vit rien de ses poses virilistes, de cette outrance toc, surtout pas son père, pris dans un harem multiplex dont il peinait à se dépêtrer, et qui se félicitait chaque jour de cette enfant qui exigeait si peu de lui, ne réclamait pas, ne bavardait pas, ne faisait pas de chichis, ne pleurait jamais; une fille si peu fille, en somme pensait-il en la regardant par la fenêtre passer la porte du jardin, un bon petit soldat, oui, quelle chance il avait. On comprend que Summer, encouragée de la sorte, finisse par regarder les gamines de son âge comme des êtres mineurs. Elle s'empressa de fuir leur obsession de l'amour, leurs confidences interminables, leur lamento masochiste, la fragilité acidulée qu'elles endossaient si volontiers pour séduire. Se priva tout autant de leur peau, de leurs rigolades, de leurs complicités nocturnes, de leur solidarité, se priva bêtement de leur douceur. Et décida pour elle-même, à treize ans, un jour où elle s'était laissé caresser au cinéma par un garçon qu'elle aimait mais qui se foutait d'elle, elle le savait – il lui pétrissait les seins sans vergogne, remontait la main entre ses cuisses, et lui raclait le palais d'une langue brutale –, décida que l'amour, d'accord, mais pas exagérément, pas à n'importe quel prix. Or décider ainsi quelque chose pour soi, le faire pour sa vie sans se goberger de balivernes comme quoi le cœur a ses raisons blablabla – l'amour autorisant toutes les conneries, que l'on y perde son temps, que l'on y laisse sa peau, que l'on se cogne pour se dévorer tout de suite après, que l'on hurle dans les cages d'escalier, que l'on se téléphone chaque heure de la nuit, que l'on roule bourré dans la campagne hostile, car c'est comme ça que ça se passe, pas autrement –, oui, statuer de la sorte, à froid les yeux en face des trous, chez une fille si jeune, avait de quoi surprendre. Elle zigzagua entre les garçons. On la trouvait dure, froide, orgueilleuse, et bien peu féminine en somme. On lui reprocherait cela. Aujourd'hui, on mesure mal la force inouïe qu'il lui fallut requérir pour s'en tenir à l'autonomie et aux fastes de la solitude, choisir qu'elle ne serait plus jamais disposée cœur battant sur le plateau de la balance, ni « récupérée » à défaut d'être choisie. À vingt ans, elle toisait les affects avec un sourire libre – à quoi cela ressemble, un sourire libre ? à quoi ressemble-t-il, celui, si beau, de Summer Diamantis ?

Elle aima l'étude et le sport, elle aima la compétition. Se risqua donc à d'autres sélections où elle brilla trop souvent sans conclure : dès lors qu'il n'existait plus que deux candidats en course, une panique muette lui vrillait le plexus et parasitait ses élans, on prenait l'autre. Finaliste de service, rarement championne, Summer reçut une étiquette : le choix de sa mère dont elle avait échoué à gagner le cœur et les mètres carrés de moquette velours qui l'assortissaient fut validé syndrome d'échec et, poinçonnée de la sorte, elle traînassait souvent sur la touche, même si élégamment. Son père, étanche à ces diverses analyses, censurait ces propositions d'un même silence ennuyé et gratifiait chaque matin sa fille de son crapuleux

sourire british en bâillant vaguement t'inquiète.
Vinrent les Blondes à qui on ne la faisait pas et
qui bellement caviardèrent cette poisse comme
on repousse à l'arrière du front une mèche de
cheveux d'un geste brutal, pour plus de visibilité,
plus de présence et plus de joie. Elles cooptèrent
Summer un soir de juillet, alors qu'elles étaient
toutes trois étalées sur la pelouse du stade, leurs
corps disposés en flèche devant la surface de réparation, après que Summer eut arrêté leurs pénaltys
par d'heureux plongeons approximatifs. Il ne fut
pas question de seconde place : elles cherchaient
une troisième pour partager les frais d'une loca-
tion à Manchester, au mois d'août. Summer les
avait déjà croisées aux alentours du Club, avait
envié leur blondeur, leur tête haute, et admiré leur
dégaine bien qu'elles l'eussent également agacée
par leurs rigolades hystériques, complicité outrée
de filles entre elles. John Diamantis dut observer
la scène depuis la terrasse du pavillon, poste de
radio collé à l'oreille, cigarillo sous panama et
quand sa fille revint, il s'avisa délicatement de ce
qu'elle ferait au mois d'août, mit la main à son
portefeuille et lui donna du bel argent.

Un an passe et Summer est reçue au concours
d'entrée de l'École supérieure des Travaux publics.
Son père l'invite le soir même pour fêter son
succès – il avait ainsi des gestes conventionnels
qu'il prodiguait avec l'ostentation de celui qui veut
se poser en homme de principes malgré sa vie de
bâton de chaise. La scène eut lieu dans un dancing

rue de Malte : clair-obscur flatteur, champagne, *It Had To Be You*, l'attirail passablement faisandé d'un séducteur vieillissant, c'est ce que pensa Summer les jambes entortillées sous la chaise. Avant l'île flottante, James Diamantis déposa sur l'assiette de sa fille un casque de chantier, la dévisagea avec une tendresse peu commune, lui déclara il faudrait aussi que tu penses à t'arranger un peu. Summer secoua la tête en riant, gênée, fila dans les toilettes, y coiffa le casque, se regarda dans le miroir, mains posées sur les rebords du lavabo, se trouva affreuse, se vit manipulée. Et tandis que le crooner laquait ses cheveux de brillantine en coulisses avant d'attaquer le second set, alors que son père écoutait la messagerie téléphonique de son téléphone portable, Summer, rouge, blessée, bientôt ivre de rage et comme claquée du cerveau, brisa le miroir à grands coups de casque.

À l'École, la dernière année, Summer choisit le béton pour spécialité. Autour d'elle ça ricane, ça grimace, le béton, c'est ingrat, pas sexy pour un rond, qu'est-ce qu'elle veut prouver ? Tu es sûre de toi, Summer ? lui demande un jour James depuis sa planète et elle, bêtement enhardie par la question, lui répond vivement que oui, précisément, ainsi spécialisée, elle trouvera plus facilement du travail. Tu as de ces idées ! James tourne les pages de son journal, elle est plantée là, furax, éponge ses canaux lacrymaux en enfonçant l'index dans le coin de son œil. Les mois passent encore et, au printemps, le béton a sa revanche. Un dîner sur la terrasse, un photophore, six couverts, chaises de paille, tabouret court pour James Diamantis en panama neuf – il a cuisiné, aéré le vin, coupé un bouquet dans la glycine, brossé son chapeau. Les invités sont des voisins. Summer s'est trouvée jolie, elle parle, elle boit. Cette jeune fille étudie le béton, figurez-vous, James sert le vin dans les verres dépareillés. Un type est là, qui plaît à Summer. Il lui demande ce qu'elle fait. Travaux publics, je suis ingénieur béton. Ah. Le type relève la tête. Ses yeux crissent sur elle qui sait maintenant qu'ils vont passer la nuit ensemble. Il est émerveillé. C'est exactement ce que j'aurais voulu faire, un métier fort, concret, un métier en prise directe avec le réel.

Summer s'éloigne de la centrale et se dirige vers le fleuve d'un pas titubant, le cœur lourd soudain, avise une petite friche au bout du quai, des touffes d'herbe ont fendillé le béton, l'eau clapote contre la berge, elle s'accroupit, remonte ses manches et dénoue sa queue-de-cheval, secoue la tête, observe la rive d'en face, impénétrable, jette trois cailloux dans l'eau hop hop hop, un colibri évolue au ras du fleuve, chiure turquoise sur liquide mordoré, je suis là maintenant, je suis là maintenant, elle ferme les yeux elle aussi, je suis là, puis se relève, étourdissement, pense la faim, le décalage horaire, pense demain je dois être en forme, sait enfin où elle est, voile noir puis à nouveau le ciel écru.

À l'autre bout de l'esplanade Pontoverde, Sanche Alphonse Cameron, lui aussi, prend ses marques. Son « bureau » est une cabine vitrée de deux mètres carrés, située au sommet d'une grue à tour, boîte translucide placée à cinquante mètres de hauteur. Il y monte par un ascenseur qui coulisse le long du fût mais certains jours, pour faire le malin voire épater la galerie, gravit deux à deux les barreaux d'une échelle à crinoline sans passer par les paliers de repos, je m'entretiens c'est ce qu'il prétend quand ceux qui restent en bas s'alarment de le voir s'élever frêle petit bonhomme le long de la structure. Une fois à l'intérieur de la cabine, Sanche s'assied dans son fauteuil, le dos bien droit contre le siège, alors effectue sa prise de poste, contrôle le tableau de bord – voyants lumineux, volant, talkies-walkies, écrans et abaques graphiques, anémomètre, boutons-poussoirs –, vérifie les freins et les dispositifs de sécurité, cale ses mains sur les manettes et se concentre. Il repère Summer qui traverse l'esplanade, suit des yeux sa silhouette décidée, la voit disparaître derrière les engins garés près de la centrale puis resurgir au bord du fleuve, la paille blonde des cheveux bien lissée au soleil, qu'est-ce qu'elle fout ?

Il se plaît dans cette enclave technologique où sa petite taille cesse de le faire souffrir, puisqu'il mesure désormais cinquante et un mètres soixante-deux, puisqu'il est immense ; il est à sa place dans ce caisson paradoxal qui l'incorpore à l'espace illimité quand chaque geste y est réglé au millimètre, face à ce pupitre qui lui fourgue au bout des doigts une force démentielle quand chaque impulsion sur la manette est affaire de précision, de minutie, de vigilance ; il se sent chez lui dans cette turne exiguë où se vérifie huit heures par jour l'exemplarité de la métrique anglo-saxonne qui étalonne l'espace à l'aune du corps humain, à l'aune du pouce et du pied, de son abdomen justement, de la proéminence de son nez en bec d'aigle, de ses longs pieds fins et de ses cils de girafon. De là-haut, Sanche porte sur le chantier et les alentours un œil panoptique qui lui confère une puissance neuve assortie d'une distance idéale. Il est l'épicentre solitaire d'un paysage en mouvement, intouchable et retranché, il est le roi du monde.

Pourtant, au commencement, il habita la Terre comme tout le monde, et plus précisément Dunkerque – béton prolo, industrie portuaire, tourisme familial, joues fraîches et vent sur le front, dunes et bières blondes – où il naît à l'hôpital municipal un dimanche de novembre 1978, unique rejeton d'une couvée tardive. C'est un miracle : personne n'aurait misé un centime sur sa mère, quarante-deux ans, qui avait elle-même cessé depuis longtemps de mettre des cierges à la Vierge, de se frotter le bas-ventre avec de l'huile de ricin ou de porter des sous-vêtements rouges – qui avait elle-même cessé d'y croire, donc. À peine l'enfant a-t-il poussé son cri primal et bien qu'il présentât un corps maigrelet assorti d'un faciès inquiétant – front aplati, épiderme jaunâtre passablement ridé, deux billes noires qui jamais ne cillent –, il est porté aux nues. Il est le premier et le dernier enfant, la beauté même et l'amour en personne. Soit, soit. Mais le père, lui, qu'en dit-il ? Rien, justement, il maçonne sa silhouette sèche contre le comptoir d'un bar minable, et se tait, sidéré par sa paternité et plus encore éberlué par sa femme – une fille de l'Alentejo rencontrée dans une association paroissiale qui ne lui avait jamais réservé que des attentions conjugales, assortiment invariable de plats lourds, de chemises amidon-nées, de hochements de tête soumis et de sexua-lité dominicale –, il reste prostré, tel le chauffard piqué par la patrouille et refait d'un paquet de fric. Il n'est plus maître chez lui : forte de son enfant, sa femme est devenue une autre femme, elle irradie d'une force neuve. Régente la maison, tient les comptes, fixe les priorités, chante à voix haute. Finies la main tremblante et la petite voix qui quémandait l'argent des courses en début de semaine, finies les soirées tristes à attendre son bonhomme, finis la honte et les regrets. Le cours de la vie se rabat désormais sur un axe unique : l'enfant sera vêtu comme un prince, logé comme un maître, nourri comme un prélat ; ils se saigneront aux quatre veines. Le père conduit des poids lourds entre Dunkerque et Rotterdam ou Paris, il s'absente souvent, la mère a le champ libre. Accumule les heures tant qu'elle peut pour épaissir sa liasse : le matin le ménage dans des agences du port, le midi la cantine d'une école privée du centre-ville – elle y fait manger son fils avant le service, lui réservant les plus belles pièces de viande, chipant les meilleurs fruits, doublant les rations – et le soir garde deux petites filles d'un couple de bourgeois voisins, des enfants qu'elle observe avec intérêt, sur lesquels elle cale son éducation. Elle lustre les cheveux de Sanche, le conduit à la bibliothèque, lui parle en français. L'inscrit au cours de danse classique que fréquentent les petites voisines – il y est petit prince en collants blancs, montré en exemple. Sanche est un enfant frêle, solitaire et précis, vêtu de guimpes à collerette et de knickers en velours bleu roi, il sautille dans le salon. Le père s'énerve, gueule à sa femme tu es en train d'en faire un pédé, alors traîne l'enfant au stade ses dimanches de repos, Sanche est heureux de faire plaisir à son père mais prend froid dans les gradins, le rhume et l'otite : le couple se querelle. À onze ans, quand on lui demande ce qu'il veut faire plus tard, Sanche hésite gravement entre chef d'orchestre et archéologue, des ambitions que le collège érode inéluctablement, que le lycée – des établissements privés, sa mère y connaissait d'autres femmes de ménage – se charge de normaliser : ce garçon est un bon élément, il lui faut un vrai métier, pourquoi pas le bâtiment ? De cette orientation, le jeune garçon ne pipe mot, le père est satisfait, la mère se désole. Un matin, elle boutonne sa robe de soie noire, ceinture son manteau en alcantara à col de lapin, et s'en va frapper trois coups déterminés à la porte du proviseur : son fils est portugais, faut-il ainsi qu'il soit maçon ? Protestation argumentée et colère froide où traînasse le soupçon du racisme : on nous empêche de nous élever. Le proviseur la rassure faux derche, le bâtiment c'est une pléiade de métiers – impact positif du mot pléiade sur la mère qui voit du scintillement, de la brillance et peut-être même du ciel – et finalement, après l'obtention d'un bac technologique, la grue réconcilie tout le monde, haute et flamboyante, pièce maîtresse. Un maniement qui exige des qualifications supérieures, un œil de lynx – une vision qui résiste aux éblouissements et apprécie les reliefs –, une oreille fine – l'acuité auditive dans le bruit est testée avant obtention d'un poste –, et le sang-froid du tireur d'élite. La mère rassérénée admet la grue, y voit la position aristocratique, celle où l'on reste propre, à l'abri pieds au sec, détaché par le haut de la masse ouvrière qui grouille au sol mains dans la merde, y voit une bonne situation assortie possiblement d'un statut cadre, quand le père glisse à l'oreille de Sanche tu seras peinard, libre, pas de patron sur le dos, et, complice pour la première fois, ajoute en lui passant une main autour des épaules, comme moi dans le camion.

Sanche ne connaît ni le vertige ni la difficulté de travailler en solitaire dans un espace restreint, il a le sens de l'équilibre et des responsabilités, celui de la sécurité – les grues sont dangereuses sur un grand périmètre –, enfin il est doué d'une formidable capacité de concentration : il a trouvé sa place. Apprend à conduire et manier les grues – grue à treillis automotrice, grue à chenilles, grue télescopique tout tonnage –, suit les formations connexes de grutier foreur, de responsable du matériel – il dirige une équipe de trente personnes sur le chantier d'un tunnel au Luxembourg –, et part à l'étranger, Nouakchott, Mauritanie, où il assure les opérations de chargement et de déchargement entre bateaux et plate-forme pétrolière. C'est là qu'il rencontre l'homme qui l'initie à la politique et qu'il écoute d'abord pour tromper l'ennui qui vient quand durent les temps de pause, quand la lassitude relaye la fatigue. L'homme travaille sur la plate-forme, il est portugais comme lui, s'est réfugié en France pendant les guerres de Salazar. En quelques nuits de veille, alors que l'air tiède et salé de l'océan corrode leur peau autant qu'il oxyde les échelles métalliques, il introduit Sanche dans une immensité nouvelle aux échos de cathédrale : la Révolution. Sa voix, d'abord captive le grutier, coulée noire déflagrant tout sur son passage – un combustible à l'image du pétrole qu'ils sont venus puiser au large de l'Afrique. Les mots tournoient dans l'atmosphère, lassos

91

surpuissants propres à capturer de la pensée, à ramener vers son cerveau, à la force du poignet, des concepts récalcitrants et passablement démodés en ce tout début de vingt et unième siècle. Sanche aime d'emblée la théorie, y voit de la clarté, de la puissance, il prononce certains mots pour la première fois, des mots comme peuple, dialectique, collectif, aliénation, émancipation, des mots comme capital et oppression, des expressions comme matérialisme historique ou encore avant-garde éclairée du prolétariat, il les fait tourner sur sa langue, pour en sentir le poids, l'épaisseur, pour bien se les approprier, comme si ces vocables magiques étaient les révélateurs de la logique du monde, de sa plastique, de sa mécanique, de ses flux et de son devenir. Il prend là tout ce qu'il y a prendre, c'est une bonne mise en jambes, c'est ce qu'il dit à l'homme lors de leur dernière poignée de main, une aube de novembre, quand l'ardeur de la discussion a desséché leur bouche. Après quoi, rentré en France, ses prises de poste s'enchaînent sans temps mort, il devient l'un des meilleurs dossiers de la boîte d'intérim qui gère sa carrière. Et maintenant, le pont.

C'est le premier jour du pont, le premier matin. L'aube polaroïde. Les noirs qui s'éclairent et les blancs qui foncent, la pigmentation progressive de tous les verts – fluo, émeraude, pistache, Véronèse, amande, anis, absinthe, turquoise, Hollywood chewing-gum, épinard et malachite, anglais, céladon –, bientôt fixée sur la rétine, et le fleuve est là, souple, les plis calmes, de longues herbes fluorescentes s'y étalent en surface, des taillis dérivent, des bidons, des bouteilles : l'eau est laiteuse et sale.

Diderot a fait un tour du site principal, la plate-forme Pontoverde qui est désormais son domaine, surface de cinq kilomètres carrés cimentée, béton-née, défrichée, ouverte sur le fleuve par un long quai vide, et striée de rails qui relient entre eux hangars, ateliers de construction, d'entretien et de réparation, baraquements des équipes, bureau d'études, cantines, vestiaires. Et maintenant, il fume un Lusitania. De profil, il a vraiment un gros nez, le torse proéminent, ses Ray-Ban sont relevées sur son front et sa chemise dépasse du pantalon, il est d'attaque, il est exactement dans son élément et au fond de sa poche, sa main bat contre sa jambe un tempo secret. C'est l'heure pleine, heure d'avant le branle-bas, heure du silence avant la bataille et minute du skieur posté au portillon de la course – évaluer la piste avant de s'élancer, visionner le tracé, récapituler les difficultés, les virages, les bosses, les creux, la plaque de verglas derrière la douzième porte, repérer les zones d'accélération possibles, l'exact fléchissement des genoux qu'il faudra opérer pour sauter puis planer dans la dernière courbe, les exactes propulsions du torse, balancement de tête, position de bras –, heure du souci météorologique, et là-dessus Diderot a ses préférences, sait ce qu'il lui faut : du climat continental, des hivers secs et rudes, des étés chauds. Pour un homme comme lui, il n'est rien de pire que la pluie, le vent, l'orage, rien de pire que la boue.

De l'autre côté des grilles, déjà les hommes attendent. Les nouveaux venus et la main-d'œuvre locale, des gars silencieux la raie sur le côté, la cigarette au bec, les mains propres et le casse-croûte sous le bras, des types en survêtement, casquettes devant derrière, visières dans le cou ou capuches pendouillant entre les omoplates, des jeunes chaussés de baskets bon marché, une poignée de femmes – mais se confirme qu'il n'y a là aucun enfant, contrairement à la rumeur et aux alertes des organisations internationales. Parmi eux, prioritaires, des Indiens agrégés par trois ou quatre, lourds, les visages fermés, embauchés en nombre car insensibles au vertige et rompus au climat, aux parasites, familiers du terrain, puisqu'ils sont là chez eux – le Boa a exigé leur présence sur le chantier, une stratégie de neutralisation. De ce qui les attend, ils savent peu de chose. Les chômeurs autochtones qui avaient postulé s'étaient enquis des qualifications à faire valoir : c'est quoi les qualifs ? Et l'agent préposé à l'embauche, celui qui tapait les noms dans l'ordinateur avant de délivrer la carte magnétique qui donnait accès au chantier une fois introduite dans la pointeuse, s'était pincé les biceps : les qualifs, mon chou, c'est trois choses : du muscle, du muscle, du muscle. Personne n'avait ri et tous étaient venus.

À l'ouverture des portes, ils s'avancent dans le chantier comme une tortue romaine. Ils sont près de huit cents. Mo Yun est là, prêt, un tee-shirt propre sur son torse cave et des lunettes de mineur autour du cou, il regarde partout, cherche à imiter ceux qui l'entourent – ne connaît que les mots qui ricochent dans les éviers de cuisine –, et flotte dans la foule comme dans son bleu de travail chopé dans un *thrift store* pour cinquante cents, haussé sur la pointe des pieds, la tête en arrière pour mieux respirer, si léger que la masse humaine le soulève du sol et le déplace, si fin qu'il est véhiculé par la foule, et entre autres par Duane Fisher et Buddy Loo qui forcent et poussent à quelques mètres de lui, ne veulent pas se laisser faire, se laisser devancer – la veille ils ont trouvé à vendre une partie de leur butin dans un appartement crapoteux du quartier de l'Église, une femme a pesé l'or sur une balance électronique tandis qu'un doberman lui léchait les pieds, et une fois empoché la maigre liasse ils ont filé direct tout claquer dans les salles de jeu, se sont excités sur des consoles en buvant des bières tièdes, riant comme des gosses les mains sur les manettes, puis sont allés prendre le bac pour Edgefront la nuit venue, une fois les poches raclées jusqu'au dernier quarter, après quoi, sur l'autre rive, ils ont zoné à la recherche d'une piaule, un petit squat où dormir, et, sans vraiment le savoir, désorientés, ils ont marché vers la forêt, cette même forêt qui les avait tenus comme dans une nasse, celle qu'ils avaient fuie – et plus loin, à l'arrière de la multitude, Katherine Thoreau progresse le portable à l'oreille, recommande à ses fils de bien attacher la petite dans sa poussette s'ils venaient à sortir le long de Colfax et leur rappelle de lire, de ne pas rester avachis toute la journée devant la télé, de ne pas se disputer. Et la coudoyant sans la voir, Soren Cry, méfiant, le regard par en dessous, le teint brouillé, le cran d'arrêt comme un peigne dans la poche arrière de son jean.

Tous gagnent les baraquements des ouvriers après avoir bipé leur sésame dans des horodateurs, et une fois entrés dans les vestiaires, prennent possession du casier métallique où ils suspendent leurs vêtements et saisissent leur casque, obligatoire depuis la construction du Golden Gate Bridge, San Francisco, Californie, au milieu des années trente. Ils s'installent, instinctivement des groupes se forment : ceux qui parlent la même langue, ceux qui ont voyagé ensemble, ceux qui viennent du même coin – parmi lesquels les types de Detroit que la fermeture des usines de bagnoles a chassés de la ville, ils sont une vingtaine, jeunes, une bande qui fait peur, comme si la chaîne qui avait riveté leur force de travail à des opérations automatiques, en cassant net, avait libéré leurs gestes, si bien qu'ils prennent de la place dans les vestiaires, font de grands pas et moulinent des bras, parlent fort –, ceux qui se sont trouvés côte à côte devant les grilles et se sont offert du feu pour leur clope. Les Indiens aussi se réunissent dans un coin de la salle, ils sont gris sous les néons, lents, le coffre tatoué de feuillages des omoplates jusqu'aux reins, ils se parlent à voix basse. Et puis, c'est la sirène, maintenant faut y aller.

Au beau milieu de l'immense terrain vague en bordure du fleuve, un homme crie dans un porte-voix Anchorage One, Anchorage Two, et ainsi de suite jusqu'à Anchorage Six. Des hommes sautent des navettes qui les ont transportés là par le fleuve, s'avancent sur le quai grossièrement aménagé contre la berge du terrain et forment de petites équipes qui marchent vers le fond de l'esplanade où rutilent à l'arrêt deux énormes machines.

Anchorage. Ancrer le pont. Creuser pour assurer des fondations solides à la structure : deux trous dans le fond du fleuve pour y ficher les piles qui maintiendront les tours, et un autre sur chaque berge – soixante mille mètres cubes de béton seront coulés en première phase avant la pose des câbles.

Attaquer le pont par le bas, donc, partir du plus noir, du plus sale, du plus élémentaire, commencer à l'envers, avancer à reculons, amorcer en retranchant, trouer, évider, défoncer. Un boulot de chien. On est des chiens, c'est ce que pense Diderot qui accoste en Zodiac et s'étonne encore que pour édifier un ouvrage, pour l'ériger aux yeux du monde, pour le faire sortir de terre, il faille d'abord se noircir la tête dans les profondeurs du sol. Et Mo, qui essuie ses précieuses lunettes dans le tissu de son bleu de travail, se dit exactement la même chose que Diderot car il est de ceux qui pensent d'abord au trou avant d'évaluer l'édifice. Il se souvient qu'il n'y avait pas toujours eu des mines à Datong, elles n'étaient pas apparues comme ça, un beau matin, comme issues d'un souffle divin, gouffres de deux cents mètres de profondeur étayés comme des cathédrales, pourvus de cages pour y faire descendre les hommes et de rails pour véhiculer les berlines, non, il avait fallu les créer, ces cavernes gigantesques et un jour, marchant entre ses parents dans la boue rouge qui nappait les rues de la ville dès les premières pluies, cette idée l'avait saisi, effaré, les pieds enfoncés dans le sol de la place du Peuple transformée en une pataugeoire lourde et visqueuse, et alors il avait questionné ses parents : qu'y avait-il ici avant ? Qu'y avait-il ici même avant que Datong ne brille au premier rang des cités laborieuses de la République populaire ? L'homme et la femme mêmement grands et secs avaient froncé les sourcils, et s'étaient souvenus par vapes, émergeant un instant d'un coma de labeur, oui, ils avaient connu la ville encore herbeuse, les faubourgs où proliféraient des masures troglodytes misérables, la maigre volaille et le petit cochon gris, ils avaient connu le sol intact, mais s'étonnaient sincèrement de la question de leur fils, car cela remontait loin, très loin, c'était un autre temps, un temps d'avant la Révolution, autrement dit d'avant la lumière de la raison répandue sur le pays, c'était la préhistoire de l'humanité et ils baissaient les yeux, pudiques, étonnés, c'est vrai, ils avaient été de ceux qui avaient forgé l'outil qui les avait rendus utiles, en avaient fait des agents du Progrès, ils avaient fabriqué de leur main la cage de fer qui les avait jetés en bas, ils avaient creusé les trous.

Mo regarde le terrain et regarde les hommes, la peur lui coupe les jambes, il a la tête qui tourne et envie de fuir. Au-devant de lui, des excavatrices chauffent leur moteur et se mettent en branle, lentement, mastodontes mécaniques capables de creuser en un jour un trou de la taille d'un terrain de football sur une profondeur de vingt-cinq mètres. Il écarquille les yeux et étouffe un cri, il croit les reconnaître, elles ont voyagé jusque-là depuis les mines à ciel ouvert, depuis Datong, depuis le creuset de boue noire qu'il a laissé dans son dos. Elles l'ont retrouvé ici, elles ont traversé l'océan et remonté le fleuve à prix d'or, en pièces détachées elles sont venues se rappeler à lui. Les hommes assemblés les admirent, voici l'artillerie lourde de Pontoverde, quand Mo est en plein cauchemar, étourdi, n'écoutant plus le conducteur des travaux qui les harangue comme une armée sur le champ de bataille avant le combat – les gars, nous attaquons la phase Anchorage, il s'agit d'un pont à construire, d'un pont qui sera le plus beau du monde –, il s'affole, il rentre la tête dans les épaules et avance pour se fondre dans l'équipe Anchorage Five.

À cinquante mètres de celle de Mo, la tête de Soren Cry tourne elle aussi – c'est dingue tous ces types étourdis –, au seul cri d'Anchorage. Mais ce n'est pas la proclamation de la phase inaugurale du chantier qu'il entend, pas ces ordres gueulés comme s'ils étaient en manœuvre au sortir des casernes, pas cette emphase censée galvaniser les ouvriers : c'est un hurlement de loup qui le déchire et avec lui la honte d'avoir été chassé du paradis perdu. Dans une autre vie, Soren Cry a vécu à Anchorage Alaska – il en parlerait comme cela, il dirait « dans une autre vie » car ce passé ne lui appartient plus, il est incapable d'en faire le récit, mais l'éprouve comme une brique brûlante oubliée dans l'arrière-fond de son cerveau ; il y a aimé sa vie, ne s'est pas trouvé différent des autres gars qui passaient là, des types rétifs à la conversation, des saisonniers travailleurs et concentrés que distrayaient mal le bowling, la bière et le sexe. Soren est d'abord charpentier sur un chantier naval. Au bout de trois jours, il appelle sa mère d'une cabine téléphonique à l'heure du déjeuner – un geste extraordinaire pour lui qui ne parlait plus –, se racle la gorge et lui annonce : je vais rester ici, c'est une ville pour moi, je sens que ça va marcher. À l'autre bout du fil, la femme en bigoudis vert pâle et déshabillé de même couleur hoche la tête sans savoir trop quoi penser, cet enthousiasme est suspect, il ne ressemble pas à Soren – si incapable de voir en lui une conversion possible, elle l'imagine d'abord sous l'emprise d'une secte, drogué, en danger. Or, à Anchorage, Soren aime vivre loin de sa mère, la lumière bleue, le froid de verre. L'obscurité qui baigne les rues huit mois sur douze le délivre de sa sale gueule. Elle lui fait une seconde peau qui le protège, un camouflage qui le dissimule : il se fond dans la nuit polaire avec une joie neuve et s'approprie facilement cet espace de vie sauvage où les hommes cohabitent avec de gros mammifères à fourrure : les ours font les poubelles des maisons, traînent dans les vestiaires des stades, se pavanent sur les grèves, on croise des orignaux sur les parkings des supermarchés, les grizzlys s'aventurent aux portes des McDo et enfin, surtout, il y a des loups. La mort rôde, les hommes sont armés, les animaux énormes et carnivores, Soren se sent vivre comme nulle part ailleurs et se fraye un passage entre eux tous. Une fois le chantier terminé, il est manutentionnaire dans une usine de poissons puis conducteur de bus. Il finit par connaître la ville comme le fond de sa poche, la moindre rue, le moindre faubourg. Il conduit son petit bus jaune aux quatre roues motrices, ramasse les gosses au sortir de l'école, aide les handicapés, salue même les vieux. Souvent, en fin de service, quand la nuit est tombée, il part vers le nord s'enfoncer dans la nature hostile. Au pied des premières collines de glace, il descend écouter bruiter l'espace, il s'y incorpore. Écoute les loups. Les appelle. Un soir, une fille est là qui enregistre la meute, tapie dans le noir. Ces hurlements humains gâchent son travail, elle l'apostrophe dans la nuit. Ils finissent par se trouver dans la pénombre, elle est chercheuse dans un laboratoire de zoologie, il connaît bien la zone. Bientôt, elle vient vivre chez lui dans un deux-pièces où le chauffage électrique leur fait les cheveux secs et les yeux rouges. Soren cuisine pour elle, ils boivent gentiment et font des incursions de plus en plus profondes en milieu sauvage. Et puis ça merde salement. Un matin, Soren s'enfuit de la ville, prend le premier avion pour Chicago, monte dans un Greyhound lui aussi, les yeux exorbités sur le paysage morne qui lui revient d'un coup, aussi poisseux que la fatalité. Il prend la direction du Kentucky. Au lendemain matin, en le voyant passer le seuil de leur baraque, sa mère comprend mais ne dit rien. Il s'assied sur le canapé, ôte son blouson : sa veste polaire est maculée de taches brunâtres, le bas de son jean aussi. Elle ne pose aucune question, bouchonne tout dans le tambour de la machine à laver, lance le programme, si heureuse qu'il soit rentré.

Les excavatrices défoncent, les hommes creusent, c'est parti. Le terrain semble s'offrir sans résistance, meuble, nettoyé maintenant de toute habitation humaine quand des plaques de terre tassée de formes géométriques attestent pourtant l'occupation encore récente des sols. D'étroits cordons d'herbe drue délimitent ces surfaces, des traces de pneus les frôlent, certaines superposées

103

ayant même entamé la terre, on compte nombre de fosses puantes, des foyers couverts de cendre grenue, et si l'on fait attention, si l'on se penche au sol avec précaution, on ramasse encore bien ici de quoi remplir une benne à ordures.

Diderot heurte un ballon de foot crevé et le prend sous son bras. Il sait peu de chose de la campagne d'expropriation qui a préludé au commencement des travaux. Sur ce terrain-là, par exemple, les habitants avaient renâclé à partir, compliquant exagérément la tâche des hommes de Pontoverde. Ceux-là s'étaient d'abord insurgés, personne ici ne possède le moindre titre de propriété, ce ne sont au fond que des squatteurs qui au fil des ans ont bétonné leurs mobil-homes, posé un toit sur leurs tentes sophistiquées, étanchéifié leurs cabanes en bois – celle du petit cochon numéro deux –, habitation toute pourvue d'une antenne satellite sur le toit. Rien de pire que la coutume, le Boa avait pesté en se grattant la tête, on est mal. Pontoverde avait fini par dépêcher là une armada de jeunes avocats hypertechniques munis de mandats de réquisition bidonnés, mais ceux d'en face étaient retors et débrouillés, ils connaissaient leurs droits, les juristes se cassèrent le nez et le Boa en colère exigea qu'on les renvoyât au bercail : il négocierait lui-même. Des logements neufs et fonctionnels situés en banlieue de la ville, sur le plateau, furent proposés aux habitants. Certaines femmes vinrent les visiter, méfiantes, morgueuses, inspectant les éviers, vérifiant les interrupteurs, tirant les chasses d'eau. Elles revinrent en crachant que non, finalement, plutôt crever que de partir de chez elles. Des caméras s'installèrent dans le champ, et bientôt chaque soir on donna la parole à ces familles, on loua leur insoumission, leur mépris de la modernité, leur liberté. Les saucisses embrochées sur des brindilles et cuites au feu de bois, les mômes pieds nus poussant comme l'herbe folle, la chaleur de la communauté contre l'anonymat du préfabriqué, la solitude urbaine et les instincts individualistes. Les images gazouillaient d'éternelles vacances, la coolitude des princes de la vie : les habitants du champ devenaient des héros. Selon le Boa, tout cela était du bluff et les enchères montaient. Il souriait : préféraient-ils vraiment leur terre-plein défoncé en bordure de fleuve à une nouvelle maisonnette, ces tribus, ces smalas, ces marginaux aux cheveux longs ? Mais bientôt, craignant le mauvais effet d'une opération de police évacuant à l'aube les lieux à la matraque et poussant les familles hurlant dans des fourgonnettes avant même le début des travaux, et lassé, le Boa se tourna vers Pontoverde. La compagnie dédommagea les habitants, paya les déménagements et relogea tout le monde en centre-ville.

Un mile au sud, Duane Fisher et Buddy Loo ont sauté sur la drague, côte à côte – ces deux-là ne se lâchent pas d'un pouce, dorment ensemble le soir sous la même couverture, boivent au goulot de la même bouteille, dans la même cabane de tôle enfouie sur la rive verte –, ont suivi le mouvement du groupe sur la plage arrière, et sont bientôt repérés par l'officier mécanicien Verlaine qui prend leur nom sur un carnet à spirale, puis les conduit par des coursives de plus en plus étroites dans la salle des machines où le vacarme est tel que plus personne ne parle. Duane et Buddy ne sont jamais montés dans une embarcation de cette taille – la drague est une embarcation costaude, longue de trente mètres environ, large de seize, équipée d'un désagrégateur capable de creuser à vingt mètres de profondeur auquel sont raccordés des tubes d'aspiration et de refoulement –, ne connaissent que les pirogues propulsées par des moteurs récupérés sur les hors-bord, de ceux qui fonçaient dans les années cinquante, au large de la Floride, ski nautique bikinis pêche au gros rhum coco whisky en carafe amples virages et gerbes d'eau à la verticale comme une pluie céleste, ne connaissent que les pistons dévissés à la hâte, les voitures mortes auxquelles on aura fixé un axe et une hélice, et cela Verlaine le sait, les gars qu'on lui envoie sont tous pareils, il n'y en a pas un seul qui y connaisse quelque chose, il fulmine – à l'inverse, cet homme que l'on croise parfois en gare du Havre lorsqu'il rentre visiter ses deux fils, ne connaît, lui, que les bateaux de servitude, les dragues, les remorqueurs, la marie-salope qui ne quitte pas le port et avance dans le chenal sur un pied, boiteuse au pas mesuré. Duane et Buddy sont affectés au contrôle des effluents, ils surveilleront la régularité du flux dans les pompes, éviteront que les moteurs chauffent, c'est un boulot qui demande de l'oreille, et ces gosses en ont deux chacun, ne sont pas sourds donc : il faut entendre quand ça gémit, quand ça traîne et quand ça fatigue, Verlaine leur explique tout cela dans un anglais sommaire, joignant toutes les fois qu'il le peut le geste à la parole.

La drague avance lentement dans le fil du fleuve, lourde et têtue, elle débarrasse, racle, aspire, décrasse le lit du fleuve de toute la merde qui s'y est déposée, qui s'y dépose, jour après jour ; dérocte le chenal, saluée alors merveilleuse tâcheronne nécessaire bonniche, son énorme fraise à trois têtes – trois fois l'envergure et la puissance du plus bel outil de forage pétrolier en eau très profonde, tout de même – fouaillant la roche pour conserver un passage aux coques des majestueux navires, cargos d'aventure, et pétroliers dernier cri. Les deux garçons marquent un recul devant les citernes où se déverse le fond du fleuve, vase noirâtre pâte sédimentaire remontée des profondeurs, alluvions sans âge, aucun scintillement là-dedans, rien, ils se mettent pourtant à y guetter la tranche d'une épave, un morceau de tôle, un débris humain, un os de crâne peut-être, oui, un crâne ou un coffre receleur de pierreries diverses, un trésor ouais, ce serait génial. Ils s'excitent, rigolards, ne cherchent rien, n'espèrent rien, pas même la fortune, l'avenir n'a pas de forme pour eux qui vivent au jour le jour, sans autre tension que celle de leur jeunesse, ils tendent les mains, paumes vastes et doigts habiles, toujours prompts à palper de quoi jouer, de quoi se faire un peu de thune, toujours partants pour la première connerie.

En quatrième semaine, les plongeurs débarquent. Ils sont une cinquantaine. Leur aura les précède, panache d'admiration angoissée, et quand ils descendent des vans noirs de la Deep Seawork Company, sautant de l'habitacle les uns après les autres par bonds souples exécutés à intervalles réguliers – des commandos de marsouins en opérations –, on scrute leurs visages couleur savon de Marseille, leurs visages héroïques. Après quoi leur réputation fend la foule des ouvriers massée sur leur passage – c'est le partage des eaux –, eux s'avancent à pas lent, décontractés, de grands sacs de sport pendus à l'épaule. Parmi eux, les scaphandriers, surtout, ramassent la mise : créatures amphibies vingt mille lieues sous les mers, ils coudoient les murènes barbares, les poissons dragons et les poissons lanternes, frôlent les méduses égarées en migration vers la surface, caressent le ventre des cétacés et tirent les moustaches des phoques, s'aveuglent du plancton en suspension dans les trouées de lumière, s'émerveillent du corail, collectent des algues étranges ; ouvriers multiplatines, ils marchent pieds lourds et casqués à même l'écorce terrestre, un narguilé leur tuyautant depuis la surface de quoi respirer ; les hommes-grenouilles, eux, plongent pieds palmés, une réserve de gaz ad hoc accrochée dans le dos, ce sont des hommes mutants, le noir des abysses est leur bureau, leur usine, c'est là qu'ils boulonnent, réparent, soudent, défoncent, explosent, dynamitent le fond du fleuve, pulvérisent la couche sédimentaire, retaillent les berges, aplanissent les hauts-fonds, c'est là qu'ils assistent les opérations de forage lancées par des ingénieurs au sec, activant en surface un système satellite apte à intégrer la moindre incidence de la courbure de la Terre sur le travail à accomplir, ils en contrôlent la précision inouïe – des buis plantés dans un jardin à la française. Sous l'eau, leurs poumons enflent, logent peu à peu l'air qui se comprime, leur cage thoracique craque sous la pression, leur cœur est lourd à l'intérieur mais peu à peu s'adapte et bat plus lentement, et leur corps modulable tout entier tient le coup.

Diderot les accueille en personne, serre longuement la main du chef d'équipe, petit homme au teint cireux qu'il connaît depuis les travaux du port de Busan, Corée du Sud, où des reprises de digues titanesques avaient requis la poudre, se félicite de leur présence : divas de renommée internationale, les gars de DSC sont pour la plupart d'anciens plongeurs démineurs mis au rancart par l'armée et qui maintenant translatent leur expertise d'un chantier à l'autre et leur intervention se monnaie cher – Pontoverde avait dû allonger la maille, la qualité se paie.

Leur programme : préparer le fond du fleuve pour les fondations à venir. Terrasser la roche de base, repérer les failles, puis casser la croûte à l'explosif – la dynamite sera balancée depuis la surface dans de gros tubes en acier. Les plongeurs travailleront à l'aveugle, les eaux sont glauques ici, boueuses, chargées d'alluvions, ils devront s'attendre à de forts courants, de curieux remous centrifuges, et des flots aléatoires dus aux échappées de gaz, aux résurgences de sources, ou aux aléas climatiques propres à gonfler le débit des eaux et à accélérer leur cours. Diderot les avertit de tout cela à voix douce, dans l'intimité de la salle de réunion. Ensuite, il poursuit, on creusera les trous, on les basera, on y acheminera des poutres et des blocs de béton qui, une fois scellés et étanchéifiés, formeront un réservoir pouvant contenir chacun trente-cinq millions de litres d'eau, alors on pompera ces énormes poches avant d'y verser cent mille mètres cubes de béton et elles deviendront les fourreaux indestructibles des tours à venir. Un ceinturage herculéen.

Il faut rouler une journée entière sur la voie d'exploitation forestière puis une fois au bout de la piste marcher tout droit pendant quelques heures pour rencontrer les Indiens. Un chemin raviné par les pluies et crevé de nids-de-poule, obstrué par des arbres effondrés, parfois même effacé sous des fougères géantes voire quelque cadavre de bête. Ce trajet n'est pas sans danger, le risque de se faire attaquer par un mammifère carnivore est élevé, celui de se perdre l'est encore plus. Il est préférable de monter dans un canot à moteur en amont de Coca, puis dans le fond d'une pirogue et de prendre deux jours pour parvenir au village. On arrivera en fin de journée, quand les enfants se baignent dans la rivière, qu'ils s'éclaboussent en jouant, certains plongeant dans les cascades d'autres pêchant à la sarbacane, les hommes traînent en fumant, les femmes discutent, l'air du soir est d'une incroyable douceur. C'est d'ailleurs à ce moment de la journée que Jacob fait le café, il verse la poudre et l'eau dans une cafetière italienne grand modèle placée ensuite sur le foyer devant sa maison, et il attend, attend que le café chauffe et attend que ceux du village, ses amis, s'approchent pour le boire avec lui dans des mugs en fer-blanc.

Ce soir-là, apprenant la construction d'un pont autoroutier par-dessus le fleuve, Jacob est saisi d'une grande fatigue. Il avale son café à petites gorgées, le regard filant à la surface des eaux, opaques maintenant, et miroitant les fragments d'un ciel de lait coulé à travers la canopée. Au printemps, cela fera vingt ans qu'il vient ici vivre de longues périodes, vingt ans qu'il étudie cette petite société assiégée par l'histoire et qui fait tout ce qu'elle peut pour l'ignorer. Il a beaucoup changé, on s'en doute – le jeune intellectuel qui débarquait de Santa Fe fort de sa croyance en la toute-puissance des idées et déterminé à décrire cette précieuse alvéole de stabilité dans sa transparence rationnelle n'a plus grand-chose à voir avec l'homme qui ce soir pense qu'une société ne se déduit pas d'un système, et pour qui vivre ici un semestre sur deux revient à investir autrement sa propre existence – l'autre pendant de l'année se jouant à Berkeley. Quelques hommes de la tribu sont maintenant arrivés qui boivent autour de lui et blaguent, des femmes passent les saluer, elles ont les cheveux lissés à l'arrière de leur front et retenus par des peignes en obsidienne, des visages larges aux pommettes charnues, elles rient, collées l'une à l'autre, l'une d'elles est enceinte sous un grand tee-shirt blanc siglé du blason des Lakers de Los Angeles. Jacob allume une cigarette – ne s'est jamais résolu à fumer autre chose que des blondes –, il sait parfaitement l'intrusion des routes, la dégradation probable de la forêt et la disparition programmée des Indiens, et depuis longtemps déjà se débat contre la nostalgie : il ne sera pas le héraut documenté d'une ethnologie de faculté, il ne sera pas un savant triste, non, plutôt crever. Et d'ailleurs, en cet instant – heure du café, heure pacifique où la plénitude est telle qu'elle fait mal, comme une pierre dans le ventre, où le cœur semble à l'étroit dans la cage thoracique –, il ne pense qu'à sa vie, sa vie ici et maintenant, sa première émotion est pour ce présent qui s'épuise. Sa fatigue vient de là. Alors il repose son mug sur la claie de bois blanc et entre s'étendre dans sa maison. Il lui faut dormir.

On se demande comment Jacob a eu vent de cette histoire de pont à Coca, on imagine la rumeur du chantier venue jusqu'à lui glissée entre les écailles d'une truite fugueuse, cachée sous les ailes d'un junco ardoisé ou fichée sur le pétiole d'une fourmi travailleuse qui aura cheminé jusqu'au cœur du massif dans quelque réseau de galeries souterraines. Mais ce sont seulement des hommes, toujours les mêmes, qui ont remonté le fleuve en amont de Coca – des gens comme vous et moi – et ont porté la nouvelle. Ceux-là commercent avec les villages de «l'intérieur», savent comment les atteindre et s'y introduire sans danger, bifurquant dans un bras de la rivière, puis dans un autre plus mince encore, puis encore un autre, suivant une piste connue d'eux seuls dans le labyrinthe aquatique qui maille la forêt. Ce sont eux qui, entre autres choses, portent à Jacob ses briques de café moulu et ses cartouches de clopes. Et ce soir, comme chaque fois, ils ont accosté leur barque devant les maisons du village, déchargé des ballots de vêtements et de couvertures, des caisses de conserves, des piles, un téléviseur, deux postes de radio, puis sont allés eux aussi vers Jacob qui les ayant vus venir, leur présente les mugs en levant les bras au ciel, venez les gars, venez un peu par là. Ils sont trois, deux balèzes et un adolescent coiffé d'un bob orange, ils s'approchent, serrent la main du «professeur» – c'est ainsi qu'ils appellent Jacob – puis les deux aînés donnent des instructions pour la transaction, quantités que Jacob traduit usant de catégories comme «peu», «un peu plus», «beaucoup», les Indiens commencent à apporter les paniers – des paniers d'une grande beauté, des paniers ronds dont le fond circulaire figure le cosmos, des paniers de prix. C'est alors que le jeune au bob orange parle du pont de Coca, bientôt on viendra plus, ce ne sera plus la peine, on chargera un camion et tout ça sera réglé dans la journée, en deux coups de cuiller à pot ! Il a les mains dans les poches, conclut ça ira plus vite, hein, on passera plus la nuit dehors, il sourit en shootant dans les pommes de pin qui tapissent le sol, et Jacob qui surveillait la cafetière se retourne, le regarde au fond des yeux et l'interroge doucement maîtrisant sa surprise et feignant la décontraction, ah ouais, tiens, ils construisent un pont, à Coca ? Le petit mord et déblatère à présent ouais, un truc magnifique, six voies y paraît, ça va nous faire de l'oxygène, ils ont commencé, ils tracent, faut voir ça ! Jacob lui présente une boîte en métal tandis que les hommes à quelques mètres de là chargent maintenant les paniers dans la barque en prenant soin de les enrouler sous des bâches de plastique, sucre ? Jacob a parlé si brutalement que le jeune sursaute et ôte son bob avec précipitation, ses cheveux sont roux, aussi orange que la toile de son chapeau, il bafouille, oui, deux sucres, et quand Jacob lui tend sa tasse, il la prend d'une main, la serre contre son torse comme un homme, et se tient bien droit. Les hommes ont fini le chargement. L'un d'eux regarde sa montre – un geste dingue en ces lieux – et déclare, en route, on y va. Ils veulent faire halte pour la nuit dans un autre village, serrent la main du professeur et celles des Indiens – le plus jeune n'ose regarder Jacob, vaguement conscient d'avoir trop parlé, d'avoir été oiseau de mauvais augure –, et sautent dans leur embarcation qui vacille doucement. Des mômes les escortent, crient entre les branches ou s'accrochent à la coque, les hommes du bateau ne les regardent pas, occupés à la manœuvre, puis les gosses reviennent vers les berges, il semble alors que les arbres se mettent à ployer sur la rivière, que les hautes herbes se resserrent le long des berges, souples comme des élastiques, et c'est de nouveau le village qui fume, le calme qui bruisse dans la gangue forestière, domaine infiniment dilaté au sein de la nature et petite poche de temps : l'anfractuosité de vie que Jacob a choisie.

La nuit est haute quand Jacob sort de sa maison et remonte le long de la rivière, s'éloignant peu à peu du village. Le noir est dense, saturé de matière et de bruit, Jacob avance à l'oreille. La lumière des étoiles peine à passer sous les arbres – trop de zigzags, trop de ricochets à opérer –, mais quand elle s'y infiltre, des luisances d'une douceur de paraffine touchent alors une pierre, une feuille, de l'eau, et fournissent aussitôt des ombres au corps de Jacob, une troisième dimension, autrement dit de quoi construire l'espace, de quoi avancer. Au pied d'un arbre, froide et humide, une pirogue. Jacob la détache, l'approche, y grimpe. Il s'éloigne du bord en prenant appui avec sa rame contre la berge et bientôt le voilà qui flotte à travers bois. S'il connaît le chemin, il n'est jamais sorti seul de nuit en forêt – opération sensible, semblable aux sorties dans l'espace que font les cosmonautes, l'excitation et la terreur conjuguées au fond des mêmes entrailles.

Lentement, Jacob glisse dans les bois moites, aux aguets. Sait qu'il devra virer quand le bruit des eaux forcera, signal qu'il approche d'un flux plus fort et plus rapide. On aurait tort de se fier à la régularité de ses gestes, au soin qu'il prend à ne pas frapper trop brutalement la surface pour éviter que ça claque justement, et que le fracas assourdisse ne serait-ce qu'une seconde la rumeur du massif, on aurait tort de se fier à la précision de ces mouvements, à ces fesses contractées au fond de la coque, à son buste droit, à son visage ouvert et à ses yeux qui travaillent à déchirer la nuit aniline, on aurait tort de croire à tout cela car c'est de fièvre qu'il s'agit. Une fièvre noire issue de la colère, une suffocation de bile.

Sans jamais réussir à trouver le sommeil cette nuit-là, il s'est d'abord étendu sur le dos immobile paupières closes, puis a basculé sur le flanc changeant de tactique, mais toujours le visage du gamin roux annonçant la construction du pont s'étalait face à lui comme un écran, disproportionné, puis il apparaissait de pied, les mains dans les poches shootant dans les pommes de pin, ou riant des enfants qui les escortaient de l'eau jusqu'à la taille au moment du départ, leur tapant sur les doigts pour leur faire lâcher prise quand ils accrochaient la barque, et il l'entendait répéter en boucle cette expression comme un présage funeste « en deux coups de cuiller à pot », et finalement, quand il se leva, quand il voulut se saisir de son livre, la poisse du malaise l'avait colonisé, il vacillait, les jambes molles, suait comme un malade – précisons que le jus qui coulait alors hors de lui et dégoulinait le long de son corps n'avait rien à voir avec celui qu'il exsudait dans la *sweat lodge* des Indiens quand il y était invité, celui-là était du fiel, un jus amer et animal, un concentré de hargne et d'amertume. Jacob stabilisé s'était longtemps tenu debout, raide comme un piquet au centre de sa maison et soudain, comme on craque une allumette, en proie à l'explosion de sa volonté, il s'était habillé et était sorti.

Jacob rame encore un jour puis une autre nuit dans la forêt viscérale. Il fend la sphaigne, écarte la mangrove, esquive les cascades. La fièvre et la colère lui tiennent lieu de combustible et de fait, il trace lui aussi, il carbure, sans boire autre chose que de l'alcool de résineux dans une gourde en plastique, sans manger ni fumer, sinuant dans les rapides, surfant sur le courant ; apercevant le jour des daims, des sangliers, mais des lynx niet, se cognant contre une bande d'étudiants qui s'éclatent en rafting et le remarquent à peine, fronçant les yeux sur quelques Indiens qui ramassent des pierres le long des rives, des hommes d'autres villages, retenant son souffle la nuit, quand les ténèbres s'étirent vénéneuses, absolument inhumaines, quand il croit étouffer, succombant à la beauté nocturne, fasciné, les yeux révulsés, les lèvres sèches, une envie de hurler lui étranglant méchamment le larynx. Il ne dort pas. Il a ramassé la tension de son corps comme on condense de la matière dans un boulet de canon et se tient légèrement en avant, concentré à capter dans l'eau le plus petit flux de force qui augmenterait sa propulsion et le porterait sans effort, appliqué à fluidifier les énergies autour de lui, à recycler dans chacun de ses gestes son angoisse et sa fébrilité, et bizarrement la fatigue vitrifie sa fureur, la conserve intacte.

À l'aube du second jour, quand soudain les buildings de Coca montent, perpendiculaires à la surface du fleuve, c'est un autre homme qui sort des bois, c'est un homme hors de lui. Le soleil se lève, il ricoche contre les façades de verre et d'acier, irise les nappes d'hydrocarbures moirées arc-en-ciel qui auréolent les eaux, et les plaques de métal taillées en triangle qui festonnent le bordé de la pirogue, dessinant une mâchoire ouverte, rutilent dans la lumière.

Interceptant la pirogue du regard, les automobilistes qui filent à cette heure sur les berges écarquillent les yeux dans les rétroviseurs, ralentissent dangereusement, et plus tard entrant dans leurs bureaux, les mêmes se précipitent aux fenêtres des tours pour suivre la progression du type, s'interpellent, oh viens voir, y a un drôle de mec là, tu le vois ?, et s'éveillant, les riverains qui remontent les stores aux fenêtres finissent par sortir sur les terrasses. Ce n'est pas la pirogue qui étonne, non, elles sont nombreuses ici, déclinées de mille manières, c'est plutôt de voir, encaissé, cet homme livide qui rame tout droit, la cravate noire comme un sabre ottoman en travers de la poitrine sur la chemise claire, la veste de velours sombre universitaire, les blanches chaussettes devinées dans les mocassins, d'où il sort celui-là ?

Découvrant les sites Anchorage de part et d'autre du fleuve, saisi par le gigantisme de leur surface, la multitude des machines, Jacob ralentit, suspend sa pagaie à l'horizontale et renverse la tête en arrière, la gorge tendue comme un arc, il flotte lentement sur l'eau calme, de minuscules vaguelettes explosent doucement contre la coque, une autoroute par-dessus le fleuve, six voies qui tracent, le ciel est couleur de cierge.

Il inspire longuement et reprend sa course, donne de grands coups de rame dans le fleuve, splash, splash, un bruit qui scande sa progression, et finit par croiser des navettes fluviales ventrues comme des théières, blindées de plongeurs et d'ouvriers qui se dirigent à vive allure sur les sites Anchorage, leurs remous soulèvent la pirogue qui tangue, vacille, Jacob aspergé se rétablit, et soudain distingue contre la berge une large zone scintillante, argentée, approche pour mieux voir, des poissons morts flottent par dizaines, refoulés des profondeurs lors des explosions, ils ont les yeux ouverts et fixes. La colère le reprend, la fatigue fuit son corps, il longe la flaque macabre, puante, lèvres serrées pour ne pas hurler, et chaque coup de rame accompli lui injecte l'énergie de poursuivre. Il arrive bientôt en vue du long quai de la plate-forme Pontoverde, des silhouettes tassées embarquent sur une dernière vedette semblable à celles qu'il a croisées – mêmes couleurs, mêmes sigles. C'est là, pense-t-il ramant soudain comme un fou.

Il amarre sa pirogue sous la centrale à béton,

contre la friche, et s'extirpe de la coque. Le ciel a viré gris avec des plages charbon. Il grimpe sur la berge s'agrippant à des prises puis se dresse mais curieusement une fois debout ne s'évanouit pas. Il a faim, soif, envie d'un café. Summer Diamantis qui marche à cette heure vers son local après la réunion de chantier quotidienne fronce les yeux à la vue de cette silhouette vaguement poisseuse, vêtements fripés et tête nue, et le dépassant se retourne sur lui d'une torsion machinale – c'est quoi ce type sans casque ? – sans toutefois ralentir son pas – ce qui pour l'heure la préoccupe tient aux derniers essais de formulation du béton en soufflerie. Si bien que traversant toute l'esplanade d'un pas sûr, Jacob parvient au baraquement principal sans être intercepté. La pluie se met à tomber. C'est à ce moment que Diderot pousse la porte, anxieux du ciel.

Du haut des trois petites marches d'escalier qui mènent à la porte du bâtiment, il avise le type qui lui fait face et qu'il capte instantanément comme un intrus, eh vous là, qu'est-ce que vous faites ici ? Jacob s'est immobilisé au bas de l'escalier, articule d'une voix blanche c'est vous le responsable ? Il a les bras le long du corps mais le bleu laiteux de ses yeux inquiète Diderot tout autant que le ciel qui se fend maintenant, et dégorge de la flotte en grosses gouttes molles, tièdes, une cochonnerie. Le responsable de quoi ? Diderot a parlé sans agressivité mais avec impatience, et entreprend de descendre l'escalier lourdement, pour parler à ce type, stoppé dès la seconde marche par la main de Jacob qui vient se plaquer contre sa poitrine, les longs doigts noueux bien écartés sur le tissu de la chemise qui crisse, la paume métallique à force d'être dure, c'est vous oui ou non le responsable de ce chantier ? Diderot s'immobilise. Ses yeux scannent Jacob de haut en bas, à toute allure, sans enregistrer de bosses suspectes permettant de planquer une arme, repousse la main avec fermeté, s'apprête à descendre la dernière marche, articule oui, c'est moi, qu'est-ce qu'il y a, et alors, à ces mots, la main précédemment repoussée fait retour en force dans son ventre, ramassée en poing, bang. Le coup surprend Diderot comme le surprend l'orage qu'il entend gronder au loin, il se plie en deux, chancelle, puis entraîné par son poids s'écroule sur Jacob qui bascule en arrière et les deux hommes roulent au sol. Ils y restent un moment, inertes, assez longtemps pour que la pluie mouchette leurs vêtements de pois sombres bientôt collés à touche-touche en une seule auréole, pour que l'esplanade se vernisse puis mute pâte collante, et enfin ils commencent à se redresser. Diderot bascule sur le flanc, et prend appui au sol pour se relever tandis que Jacob, debout déjà, branle sur ses jambes maigres, les bosses des chevilles saillantes dans le coton blanc des chaussettes, bien visibles sous le pantalon trop court. C'est lui qui surplombe Diderot à présent, qui le domine de sa hauteur et d'un corps plus jeune de dix ans. Mais en cet instant, il n'en mène pas large, s'étonne de ce geste primitif, un coup de poing, un direct dans le bide, quand il aurait voulu – il pourrait le jurer main levée – s'asseoir à une table et argumenter avec ce gros type à bonne gueule, lui expliquer son point de vue, calmement, lui démontrer en quoi ce pont qu'il construit sera facteur d'anéantissement et d'extinction, en quoi il est fabrique de tragédie et de perte, en quoi mener cette affaire fait de lui une sorte d'assassin. Au lieu de quoi, comme si la pluie qui tambourine harcelait sa pensée, empêchant qu'elle se forme en une phrase possible, comme si l'esplanade trempée, boueuse, ventousait ses mots au fond du cloaque, il souffle et crache, salaud! Il y a de la sauvagerie dans ce corps hirsute en proie à la violence, dans cette voix qui insulte et profère bien que le corps soit raide, mais c'est une sauvagerie que Diderot ne calcule pas, rebiffé soudain, en proie à la fureur, faudrait quand même pas qu'il me fasse trop chier ce cinglé, c'est tout ce qu'il se dit. Une fois debout, la douleur au ventre le croche de nouveau, il jongle, ça l'énerve, et c'est lui qui charge. Tête baissée il s'engouffre dans Jacob tel un bison, telle une locomotive, bourrasque de muscles et de graisse, le choc est violent, Jacob éructe, soudain en apnée, recule puis de nouveau s'étale sur le dos. Le sol spongieux l'accueille dans un chuintement de vase, Diderot avance et se tient maintenant debout, énorme, jambes écartées au-dessus de lui, t'as deux secondes pour dégager d'ici, deux secondes avant que j'appelle. Mais Jacob qu'il croyait neutralisé, au tapis, se cabre encore, le saisit aux chevilles de ses deux mains tendues, le tire en avant, Diderot tombe sur le cul, de nouveau s'affale, splash. Alors c'est la bagarre. Les deux hommes se frappent par séquence, l'un après l'autre, un intervalle de quelques secondes entre chaque beigne, une respiration entre chaque baffe, à tour de rôle s'attrapent par le col de chemise d'un poing violet tandis que l'autre, refermé sur sa force, prend son élan en arrière de l'épaule puis se précipite comme un projectile contre la joue accrochant le nez, l'oreille, l'arcade sourcilière ; ils se cognent, mêmement lents et lourds, malhabiles, et c'est fou de voir comme ils se ressemblent à présent, les vêtements de même couleur puisque trempés de boue, les yeux cloqués, cramoisis et suants sous le déluge. On aurait assisté à cette lutte – le pont contre la forêt, l'économie contre la nature, le mouvement contre l'immobilité – qu'on n'aurait su qui encourager. À la fin, Diderot n'en pouvant plus s'éloigne en chancelant, fait demi-tour, mais la voix de Jacob le retient encore dans le dos : regarde-moi, connard. Diderot s'immobilise, hésite à se retourner, se retourne, c'est à moi que tu parles ? Jacob relevé dégueulasse tend vers lui un canif tout juste tiré de la chaussette, petit couteau merdique qui n'impressionne pas Diderot mais lame frottée d'un onguent jaune citron aiguiseur de tranchant, pâte grasse agissant sur le métal comme la colophane sur la corde du violon. C'est à moi que tu parles ? Diderot fait un pas en avant. Ouais, Jacob a baissé la main et d'une voix officielle articule je demande l'arrêt du chantier – sa glotte va et vient le long de sa trachée mais ses yeux ne cillent pas. C'est grotesque, Diderot soupire, maintenant dégage. Il frissonne, la pluie redouble et l'air fraîchit. Les gars sur les sites doivent patauger dans la merde, va falloir faire gaffe aux glissements de terrain, aux risques de crue, il faudrait qu'il y aille maintenant, pivote pour appeler les vigiles, il est de retour au bas des trois marches de l'escalier quand il entend de nouveau des bruits dans son dos et fait volte-face exaspéré. Fulgurance de lame, brûlure au flanc, sang qui gicle, mille chandelles. Jacob a disparu.

Des flaques se sont formées à présent, disséminées à la surface de la grande plate-forme Pontoverde, mares plus ou moins grandes et plus ou moins profondes, ce sont elles qui font bruire la pluie, résonner son ploc ploc accablant. L'une d'entre elles s'étoile au bas des trois marches de l'escalier du baraquement principal – les pas des hommes avaient creusé le sol en cet endroit précis, leurs semelles lourdes entamant la terre – et c'est là que Diderot gît, les yeux au ciel. Personne n'est encore sorti pour voir ce qui se passe au-dehors – est-il possible, franchement, que ceux qui bossent à l'intérieur n'aient pas entendu la rixe ? Est-il possible que polarisés devant les écrans d'ordinateurs où s'affichaient de sales prévisions météorologiques, et retenant leur souffle anxieux des phénomènes, ils soient devenus sourds ? Trois minutes à peine ont passé depuis la fin de l'empoignade et Diderot perd du sang, sa chemise a viré zinzoline à hauteur du ventre, elle dégoutte

écarlate dans la flaque, sans qu'il cherche à s'ex-
traire de la boue, sans qu'il fasse un mouvement,
détendu maintenant, apaisé, et sa conscience qui
flotte dans les mâchures indistinctes du ciel, rapa-
trie de grosses cloches au-dessus de son front qui
sonnent à toute volée : «salaud, salaud!»

Ce même mot que Katherine Thoreau a hurlé
poing brandi au conducteur du bus, après qu'il a
redémarré son engin alors qu'elle tambourinait
contre la porte eh oh, la porte s'il vous plaît, oh!
Mais le petit bonhomme ne voulait rien savoir, ne
la regardait pas : là n'était pas l'arrêt du bus mais
un feu, et rouge, au seuil d'un carrefour minable
de Colfax. Une catastrophe pour Katherine qui
à présent regarde sa montre et plisse les lèvres,
s'affole : si elle n'arrive pas à temps pour pointer,
si elle manque encore une fois les navettes fluviales
qui remontent sur les sites, elle va se prendre une
pénalité sur salaire, voire perdre son boulot, c'est
sûr, merde, merde. De rage, elle donne un coup de
latte dans le poteau électrique dressé là, grimace,
se tourne, surprend une silhouette reflétée dans les
parois vitrées d'un concessionnaire de motos, une
silhouette de pied, Katherine l'observe puis s'en
approche : c'est encore une belle femme, quarante
ans peut-être plus, grande, une parka fuchsia trop
mince pour contrer l'hiver barde son abdomen
que l'on devine lourd – seins et ventre – sans plus
de taille, un jean neige moule des jambes fines
amorties par une paire de baskets sales, d'épais
cheveux châtain foncé à la racine s'éclaircissent

flavescents aux épaules, paille roussâtre saturée de boucles mal entretenues, ses ongles sont rongés et la peau de ses mains sèche, crevassée, une petite chaîne dorée à pendentif cœur est son seul bijou ; ce n'est pas qu'elle soit laide, ou sale, non – on devine que c'est le genre de femme à ne posséder qu'un seul soutien-gorge mais à laver ses culottes dans les lavabos, le genre de femme à se savonner à fond, la langue pressée entre les lèvres –, c'est seulement que la voyant, on touche la pauvreté. Katherine Thoreau fixe son reflet, elle est fatiguée, ses yeux collent, les rides se creusent dans sa peau rougie et lui donnent un air triste mais elle ne se trouve pas si mal dans le miroir de verre, elle n'est pas foutue, avec quelques dollars, une coupe de cheveux, des crèmes hydratantes et du repos, elle pourrait encore plaire ; mais à sept heures du matin, elle serre les dents pour continuer, pour tenir le coup et ne pas se casser loin d'ici les laissant se démerder tous les quatre, son mari dépressif, ses fils exigeants, sa petit fille qui fait ses dents. La nuit avait mal tourné : à trois heures du matin n'en pouvant plus elle s'était levée du canapé-lit pour éteindre la télévision que Lewis regardait les yeux fixes, moi, il faut que je dorme tout de même si je veux aller bosser demain avait-elle assené d'une voix doucereuse, une voix qui avait humilié son mari car soudain il avait éructé, brandissant un cendrier, justement ! justement je ne veux pas que tu y retournes sur ce putain de chantier, que tous ces types te matent le cul, je sais que tu y vas pour ça, pour les faire bander,

je le sais, tu me prends pour un con, fais gaffe
je te préviens, et Kate abasourdie pensant aux
journées qui étaient les siennes – le casque sur
la tête la visière sur le nez et coincée dans une
machine dix heures de suite déblayant le remblai
du trou d'Anchorage, le vacarme abominable qui
la laissait abrutie à l'heure de la sirène du soir
– avait eu un rire supérieur, qui signifia à Lewis
son impuissance – elle aurait pu tout aussi bien le
traiter de pauvre type, lui demander comment il
comptait s'y prendre, pratiquement, pour l'empêcher d'aller bosser – un rire qu'elle prolongea par
un sourire narquois, ok j'arrête d'y aller, bye-bye
je démissionne, mais dis-moi si t'es pas con on
fait comment alors ? on fait comment pour vivre ?
Elle se tenait les mains sur les hanches dans son
déshabillé de synthétique, si bien qu'elle ne put
esquiver le cendrier lancé contre sa tempe, bang,
poussa un cri qu'elle réprima aussitôt d'une main
sur sa bouche ouverte car à cet instant Matt, l'aîné
des garçons, avait poussé la porte de la baraque
et il était saoul, tout le monde avait beuglé des
insultes, et le plus jeune Liam soudain apparu
en pyjama au milieu du salon s'était comme de
coutume jeté contre sa mère, en sanglots, et l'ambiance électrique n'avait pas manqué de réveiller
la petite dernière, faut dire qu'ils étaient tous sur
les nerfs et serrés comme des sardines dans ce
condominium merdique. Plus tard, une fois recou-
chés dans le canapé-lit, la petite entre eux sa tétine
dans le bec, Katherine avait dit à Lewis d'une voix
ferme excuse-toi et il lui avait murmuré excuse-

moi puis lui avait pris la main par-dessus l'enfant, et ils s'étaient tenus ainsi dans le noir jusqu'à ce que le sommeil les gagne.

Maintenant Katherine Thoreau piétine sur Colfax en fumant clope sur clope, et quand elle distingue enfin le car, elle regarde sa montre, sait désormais qu'elle est en retard, que les navettes sont parties. Elle passe à la pointeuse alors que les premières gouttes de pluie éclatent au sol, puis entreprend de traverser toute la plate-forme Pontoverde jusqu'au baraquement principal, afin de se signaler – il lui est humiliant d'aller ainsi demander une faveur, un billet de retard, comme une collégienne mal réveillée, comme une nana tire-au-flanc. La place gronde rapidement sous la mitraille, sinistre ainsi vidée des ouvriers. Katherine Thoreau avance sous la flotte, sa pauvre parka mal imperméabilisée s'imbibe rapidement, devient lourde, l'eau fuit à l'intérieur, sur son buste et ses bras, dans son cou, et ses baskets prennent l'eau, ses chaussettes y barbotent, Katherine baisse la tête, ses cheveux pendouillent devant son visage en mèches ruisselantes tandis que l'eau s'écrase au sommet de son crâne, elle regarde au travers puis se concentre sur ses pieds afin d'éviter les petites mares qui se forment à toute allure, c'est long ce trajet jusqu'au baraquement, c'est long et soudain Katherine remarquant que l'eau gicle de ses semelles se dit voilà c'est ça ma vie, ça prend l'eau, ça fuit de partout, ça part en couille, Lewis qui déconne, les enfants qui l'inquiètent, Billie

129

toute la journée devant la télé aux côtés de son père, Matt qui découche et n'a pas souri depuis des semaines, et Liam qui pleure tous les jours, elle pense à eux et se dit qu'elle ne va pas tenir le coup longtemps – au réveil, elle était passée chez la voisine en lui demandant d'aller faire un tour dans la baraque à l'heure du déjeuner, les garçons seraient à l'école, et son mari était handicapé, oui, un accident de travail, elle avait une petite fille et pas encore les moyens de la mettre à la crèche, était-il possible d'aller voir si tout se passait bien ? et la femme, une matrone noire au goitre invraisemblable, aux yeux roses, avait regardé Katherine avec mauvaise humeur puis avait dit d'accord j'irai, et dans la foulée elle avait donné son tarif, dix dollars, Katherine avait sursauté alors, à ce prix-là vous faites déjeuner la petite, vous la changez et vous la couchez pour la sieste, la voisine avait acquiescé, marché conclu, mais maintenant Katherine faisait ses comptes : le tarif de la voisine était trop élevé, elle allait devoir régler ça si elle ne voulait pas y laisser sa paye.

De très loin, elle a vu les deux silhouettes s'empoigner dans la boue puis l'une s'est affalée au sol, et l'autre a déguerpi vers la centrale à béton, Katherine a écarté sa chevelure dégoulinante pour mieux voir et a précipité son pas. Maintenant, elle se penche sur Diderot groggy dans la mare, s'agenouille pour prendre sa tête dans ses bras et lui murmure ça va aller, hurle en se retournant vers le bâtiment, à l'aide, un blessé ! à l'aide ! Sa voix porte, puis elle revient s'incliner sur lui, murmure respirez calmement, respirez, ses mèches de cheveux mouillés caressent le visage de Diderot comme des pinceaux chinois, vaguement chatouillé il ouvre les yeux, balbutie qui êtes-vous ? Mais ça dévale maintenant dans le petit escalier, de grosses grolles sèches, des hommes munis de rouleaux de papier blanc et de couvertures. En deux temps trois mouvements Diderot est emporté à l'infirmerie, on se tourne vers Katherine on lui demande ce qu'elle foutait là à cette heure, nom de Dieu, z'étiez encore en retard, Thoreau ?

Le chantier bat son plein. Un déploiement sourd d'abord, voire clandestin nul en ville n'eût pu deviner ce qui se tramait de part et d'autre du fleuve, nul ne put se douter de ce qui allait sortir de terre, sauf à se lever à l'aube pour s'interroger sur le passage en trombe de certains autocars remplis de types serrés comme des sardines, lesquels la nuit venue repassaient en sens inverse à même vitesse, sauf à zyeuter le trafic des navettes sur le fleuve ; il n'y eut point de première pierre posée en fanfare et de Boa photographié la truelle à la main et le sourire ad hoc devant un parterre de costards sombres et de filles immenses, quasi nues sur des échasses, qui chuchotaient entre elles dans une langue où les « r » roulaient sur eux-mêmes tête la première comme s'ils dégringolaient au fond d'un puits ; il n'y eut point d'avis placardé sur des murs ou des poteaux, dans les couloirs du métro, rien, il n'y eut rien. Le Boa avait pris soin d'externaliser l'immense plate-forme Pontoverde au sud de la ville et d'interdire toute publicité sur l'ouvrage afin de ne pas alerter les habitants et usagers de Coca – son électorat, ses clients – sur les nuisances inhérentes à de tels travaux – éventrements de perspectives aimées, poussière, bruit, pollutions hétérogènes, congestions d'axes circulatoires, recrudescence de car-jacking, afflux de populations miséreuses cherchant à gratter de quoi vivoter aux marges du chantier. Le pont s'avançait camouflé : les sites de forage furent clôturés de palissades bientôt couvertes de trompe-l'œil raccords au voisinage, quasi invisibles hormis la tête de mort dans son panneau triangulaire qui piratait chaque portail.

Les percussions des bulldozers fusionnèrent avec les chocs et martèlements naturels de la cité, avec les fumées des moteurs de bagnoles et les rafales de poussière. Un nuage de pollution jaune citron plana bientôt sur la ville. Les hommes du pont continuaient de débarquer de partout, ils majoraient soudain la population des bars où ils laissaient un bon quotient de leur paye – identiques en cela aux individus fraîchement arrivés en ville lesquels cherchaient toujours à payer des coups pour se faire des contacts et misaient sur l'ébriété pour avoir des idées de business puisque, putain, ils y étaient, dans la place.

Nul ne vit rien. Les premières semaines les habitants allaient dans une ville pareillement étincelante et fluide, les affaires jutaient de gros dividendes, les glaçons s'entrechoquaient doucement au fond de whiskeys mordorés tchin-tchin tandis que des filles aux coins des yeux tatoués avalaient des speedballs – coke + bicarbonate de soude – avant d'aller rôder en soutif et minijupe en jean dans les parkings souterrains des grands hôtels de luxe, on débita des ruchés de strass vendus au kilomètre, la cosmétique envahit les vitrines, des gamins de seize ans firent fortune à la boule usant d'une martingale dénichée sur Internet, le pont se construisait, les hommes et les femmes du chantier ne levaient plus la tête mais travaillaient ramassés sur les gestes à faire, s'acquittant chaque jour des quotas de mètres carrés, de mètres cubes et de tonnes requis sur les tableaux relatifs au phasage des travaux, oui, le pont se haussait, il partait du plus bas, du plus profond, une profondeur dont personne à Coca n'avait la moindre idée, il prenait appui au fond de trouées calibrées au millimètre qui transperçaient une à une les strates de sédiments, se basait au cœur du mille-feuille mnésique, se soutenait de la glèbe la plus noire et la plus lourde, pâte grasse qui suintait ses rigoles de jus archaïque, s'égouttait ploc ploc ploc, et ça résonnait comme dans un cachot, scintillait dans les faisceaux des lampes frontales puisque les têtes casquées s'y penchaient à l'examen puis se redressaient faces noires et yeux exorbités, on y est, on y est, le trou du cul du monde, ça gueulait dans toutes les langues, on y arrive, descends, encore un mètre, encore, vas-y, tu peux y aller, et alors les dents luisaient dans le noir, émaillées comme autant de lucioles, ça gueulait, talkies-walkies crochetés aux oreilles, encore, encore, vas-y, descends, encore, dans le cul profond, quand là-haut, tout là-haut, à la surface du monde, dans le soleil éblouissant et l'éclat des berlines polishées carrosses, c'était encore des talons aiguilles tac tac tac, des pneus de gomme sculptée qui râpaient l'asphalte, des gens en marche qui vivaient la vie et ignoraient tout de ce qui se jouait.

Mais il en était pour se réunir, fébriles car pris de court, et s'affolant à l'idée qu'un pont d'envergure puisse bientôt s'élever à Coca, paniqués à l'idée qu'un tel ouvrage puisse modifier l'économie de la ville, de la zone, et faire péricliter leur influence. Ceux-là sont propriétaires des quatre compagnies de bacs qui assurent les lignes Coca-Edgefront, se partageant l'ensemble du transport fluvial, et parmi elles, la Marianne créée par le Français au moment de la fondation de la ville, de loin la plus ancienne, et qui détient le monopole du trafic Coca-Ocean Bay. L'étroitesse du Golden Bridge, son peu de capacité, a largement favorisé leur développement, si bien qu'au moment de son démantèlement et du démarrage du chantier Pontoverde, pas moins de deux cents bateaux, de la simple barcasse au bac ou toute autre vedette rapide, s'agitent quotidiennement sur le fleuve, rotations incessantes que scandent les sirènes, cornes de brume ou coups de klaxon à piston qui appellent les retardataires au départ des embarcadères, ou préviennent d'éventuels abordages – et ils sont nombreux, ces chocs, ces emboutissements de coques, causés par l'alcool ou le brouillard, une rêverie amoureuse, un coup de pompe, le tribunal maritime de Coca jugeant chaque semaine son lot de collisions. D'après les registres de la chambre de commerce, l'ensemble de l'activité couvre un volume annuel d'un milliard de dollars – parmi quoi deux cent cinquante millions de bénéfice net – et agglomère plus de trois mille emplois, l'équipage moyen d'un bac amphidrome comptant cinq individus – un chef de quart, un maître d'équipage, un mécanicien et deux matelots – auxquels s'ajoutent lamaneurs, dockers, manutentionnaires, ouvriers des chantiers navals, fournisseurs en fioul, électricité, gilets de sauvetage, bouées, sacs à vomi, essuie-tout, salariés de la restauration rapide, employés des billetteries, des services administratifs et juridiques, conseillers financiers, conseillers en communication, publicitaires et antenne médicale pour tout ce monde. Une affaire exactement juteuse. Une manne. Un business que la construction du nouveau pont à présent menace. Six voies rapides, larges, asphaltées comme un circuit automobile sauront connecter la ville au continent, sauront lui octroyer sa place dans la boucle des communications amorcée depuis la Baie par la voie des plaines, et aboutie dans les vallées fertiles et minières loin de l'autre côté de la forêt.

Aussi, un soir de la fin du mois d'octobre, quatre limousines freinent-elles synchrones devant un restaurant italien d'Edgefront. Quatre types vêtus de pardessus sombres leur octroyant des épaules larges mais déclinantes s'en extirpent avec lourdeur, puis se saluent sur le trottoir tandis que s'effacent les véhicules – un protocole discret leur fait privilégier le plus âgé d'entre eux, un homme colossal, chevelure blanche ramassée en catogan sur la nuque, lunettes fumées, cigarillo, veste sombre à doublure satinée pourpre, dit le Français, descendant de l'autre en ligne directe, primogéniture mâle –, puis s'engouffrent à l'intérieur de la salle et vont s'asseoir au fond. On leur apporte un vin de précision en attendant les viandes, mais à peine y goûtent-ils que le Français assène un poing sur la table – une chevalière en or, grosse comme une noix, y brille, vaguement agressive : ok, il faut régler ce problème. Après quoi les types se penchent au centre de la table – de loin, il semble que les quatre têtes se touchent, collusion de fronts épais et d'oreilles malignes –, et les propositions fusent : corrompre la commission de sécurité pour obtenir la fermeture du chantier, acheter le lobby écologique pour lancer une campagne de dénigrement contre le pont, soudoyer les syndicats et miser sur le déclenchement d'une grève ouvrière. Bientôt les voix accélèrent, il est question de ne pas se laisser manger la laine sur le dos, de donner un avertissement au Boa, de « régler son compte » à Pontoverde, et maintenant le quatuor parle sabotage et accident de travail, nitroglycérine et trinitrotoluène, le Français s'excite entre ses dents tapant de l'index contre la table, il nous faut des mecs dans la place, un cave, un Judas, on achète, démerdez-vous, les trois autres approuvent, puis le Français se laisse aller en arrière contre le dossier de sa chaise et conclut bien, nous sommes d'accord, lève un verre solennel au-dessus de la table, bras tendu, je porte un toast à la réussite de notre entreprise, sitôt imité de ses trois commensaux, et l'alliance ainsi scellée noue sa serviette autour de son cou – un grand carré de popeline blanche – et frappe dans ses mains pour qu'on apporte les plats.

Les oiseaux. Ils se pointent en masse à la mi-novembre. Soudain le ciel semble immensément vaste et peuplé, il claque, le moindre battement d'aile semble le gonfler de l'intérieur comme un matelas pneumatique, le moindre passage de volatile – y compris les chauves-souris, libellule ou frelon asiatique tueur d'abeille *Vespa velutina* – l'accroît, le propage à l'infini. Un matin, on remonte les stores et les oiseaux sont là, au repos, posés sur le fleuve ou éparpillés dans les marais en aval de la ville. Des centaines de taches noires flottent sur l'eau laiteuse, des centaines de têtes rondes et de becs en ombre chinoise, indistinctement mêlés dans une même clameur. On se prend à les observer, à évaluer le nombre de kilomètres parcourus, on se récite les distances les plus folles – 11 000 kilomètres d'une seule traite pour la barge rousse ou 65 000 kilomètres en six mois pour le puffin fuligineux –, on s'attache à les identifier, à les reconnaître et en nommer les types de vol et de formation, on se rappelle que la plupart ont suivi des couloirs précis depuis l'Alaska, et migrent aussi de nuit se repérant aux étoiles, la carte du ciel amplement déployée dans leur petite cervelle, le sens de l'orientation plus rigoureux, plus mathématique qu'un GPS – et les chercheurs du MIT à Boston, ceux de Vancouver et du désert d'Atacama les étudient pour cela, perplexes et fascinés –, on s'émeut que même les plus solitaires, les plus asociaux d'entre eux aient migré en groupe, comme si la survie ne pouvait passer que par une solution collective, on se demande encore quelle tête on aurait, nous, après avoir tracé de la sorte dans le ciel, après avoir plané sur les courants thermiques, haut, très haut, parfois même à dix mille mètres de la surface terrestre, troué la stratosphère, nos plumes tricotant les cumulonimbus, fuyant le froid et la faim, dépensant dans le périple la moitié de nos réserves de graisse – et à cet instant, on se dit qu'un colibri mesure trois centimètres et traverse d'une traite le golfe du Mexique –, on s'émer-veille enfin qu'ils soient si justes, et ponctuels, puisque c'est bien souvent sur le même poteau du même champ qu'ils viennent faire halte, sur le même balcon de la même fenêtre, et les enfants qui les reconnaissent foncent dehors en pyjama leur porter des miettes de pain, ils se précipitent, la chair de poule hérisse leur peau, leurs chaus-sons prennent la boue, mais ils n'y pensent pas, se retournent vers leur maison et crient c'est lui, il est là, il est revenu ! Et préparent un nid de coton, de paille et de brindilles, un abri avec garde-manger et réservoir : leçon de choses.

À Coca, les ornithologues sont sur le qui-vive, leurs jumelles parcourent le ciel ou se braquent sur les aires de nidification : ils observent, dénombrent, contrôlent, baguent et débaguent – s'agirait pas qu'il leur manque des petits –, ils retiennent leur souffle, prêts à dégainer la *Convention sur la conservation des espèces migratrices appartenant à la faune sauvage*, traité international ratifié à Bonn en 1979 –, prêts à le brandir car cette année, sur le fleuve, il y a le chantier et même si les grues fournissent de nouveaux perchoirs de halte aux oiseaux hors d'haleine, les experts parient déjà que l'écosystème est troublé, ils s'inquiètent. Une délégation alerte les responsables de la mairie : la dégradation des zones humides compromet la nidification, menace les espèces, une étude sur les cygnes sauvages au sud de Bakou vient même d'établir que la pollution des habitats naturels autour de la mer Caspienne, obligeant les migrateurs à se mêler aux espèces domestiques, aggrave la propagation de la grippe aviaire. Ces hommes-là ne rigolent pas du tout et on a tort de les ignorer, de dauber leurs fringues – chemise de bûcheron sur tee-shirt blanc, jean propre ceinturé haut sur le ventre, Timberland jaunes, casquette de base-ball, gros étui de portable siamois contre cuisse via la ceinture, jumelles Zwarovski autour du cou –, on a tort de les prendre pour des cons, de les faire poireauter des heures dans des halls déserts puis de les enfumer lors d'entrevues expéditives où on leur affirme que les normes écologiques du chantier sont draconiennes et qu'elles incrémentent de 17,8 % le coût global de l'ouvrage, on a tort car déjà ils s'organisent. Les premiers prélèvements leur donnant raison, ils attaquent, et quarante-huit heures plus tard, la Cour internationale de justice décrète lors d'une procédure express l'interruption des travaux du pont de Coca durant la période de nidification des oiseaux. Soit trois semaines. Trois semaines au moins, trois semaines dans la vue. Les ornithologues de Coca respirent tandis qu'à Bécon-les-Bruyères les directeurs financiers de Pontoverde s'étranglent en calculant le surcoût de cette plaisanterie, effarés d'apprendre que des oiseaux si petits, si légers, des chiures de la nature, puissent ralentir leur chantier superstar, et les directeurs de la communication, faisant preuve d'une réactivité exemplaire, imaginent illico une campagne – Pontoverde, l'écologie est notre valeur, pour vos enfants –, et réclament aux équipes en place à Coca des photos de gosses câlinant des oiseaux sous la houlette des ingénieurs du pont, souriant face à l'objectif, le casque sur la tête, le sigle de la compagnie bien visible au-dessus des yeux.

Le Boa apprend la nouvelle instantanément, prévenu par un appel de son directeur de cabinet alors qu'il rentre d'un voyage officiel à Dubaï – où les oiseaux sont plus discrets semble-t-il. Bien entendu, sa colère explose. Comment se peut-il qu'aucun compromis avec ces ornithologues de mes couilles n'ait été possible ? Leur a-t-on seulement proposé de leur financer de nouvelles études, de nouvelles campagnes de baguage, des nouvelles jumelles aussi puissantes que des télescopes d'astronome, de nouveaux ordinateurs ? Le front collé contre la baie vitrée de son bureau démesuré, il regarde un long moment les oiseaux flotter doucement sur le fleuve, soudain se retourne et s'écrie : et le *Migratory Bird Hunting Stamp Act*, y a-t-il un seul connard ici qui y ait pensé ? Dealer avec ces casse-couilles c'est au-dessus de vos forces ? Hectares de marais contre une tolérance écologique sur le chantier de mon pont, c'est pas dans vos cordes d'imaginer un truc comme ça ? Il s'affale dans un large fauteuil club et desserre sa cravate. Un des secrétaires du Boa croyant à l'accalmie – un gars stupide – prend la parole, assure qu'il connaît cette mesure votée au congrès américain en 1934 dont le nom populaire est Loi du timbre du canard mais justement ce système risquait d'être perçu comme un impôt supplémentaire par les chasseurs de Coca. Le Boa le fixe si durement que la voix du jeune homme se rapetisse, s'étrangle jusqu'au silence, conclut toi tu dégages, renverse la tête en arrière dans son fauteuil et porte le regard à travers la fenêtre, loin, le plus loin possible, dans le ciel agité.

Ce même ciel que Diderot examine une fois sorti fumer un Lusitania – marre de tourner comme un lion en cage dans la salle de réunion, un iridium à l'oreille pour apaiser les pontes du Siège qui braient comme des ânes, furax, les oiseaux, putain quelle merde, quelle engeance, faut nous débarrasser de ça Diderot, démerdez-vous. La situation le préoccupe. Trois semaines, c'est long. Les gars vont zoner en ville, et ceux qui se seront d'abord esclaffés de cette histoire de volatiles, et frotté les mains – deux, trois jours de gratte, de quoi marner en ville, ou buissonner, l'aubaine sur un tel chantier, on ne va pas cracher dessus –, seront bientôt déboussolés, corps inoccupés et têtes lourdes coincées dans la latence, se lèveront tard, traîneront jusqu'au milieu de la journée dans des rades à barbaque huileux, ou joueront, s'exorbiteront les globes dans les cafés Internet à force d'évaluer sur écran des promesses de cul, des sexes, des fesses et des seins, des bouches entrouvertes avec aperçu de langue si possible, et cliqueront à tour de bras, la plupart célibataires géographiques prélevés sur le contingent universel de travailleurs mobiles, et le soir venu, les mêmes se battront les flancs dans les rues le long du fleuve, pas encore de paye, pas vraiment de cash à flamber, ils finiront par craquer, retourneront les matelas pour aller se bourrer la gueule ou trouver de quoi se défoncer, puisqu'on se fait chier ici, puisqu'on a rien à foutre, et si certains vont déprimer d'autres s'arracheront fissa, voilà, c'est un scénario de merde. Diderot se mange l'intérieur des joues et piétine le sol, trois semaines de glande obligatoire signifient bien plus qu'un retard à rattraper : ça casse la mécanique du chantier, brise un flux d'énergie, rompt le rythme du travail. Ce sera plus difficile, ensuite, de tout réactiver, ce sera plus lourd, plus lent, plus douloureux, comme de reprendre sa course après une halte, muscles refroidis.

Une formation de sternes arctiques file au loin et pique au-dessus du fleuve, l'oiseau de tête laisse soudain sa place, épuisé, et vient se repositionner en arrière, en extrémité de ligne. Diderot aussi sent qu'il s'épuise : son flanc bandé le fait souffrir, une douleur lancinante le vrille dès qu'il accélère ses mouvements et le condamne à une rigidité de buste, il se déplace désormais comme un vieillard, à petits pas, torse raide penché vers l'avant, et n'étant mobile que de la tête, ce sont ses cervicales qui jonglent : regarder en l'air lui est devenu une torture. On murmure qu'il paye là son entêtement – les jours qui avaient suivi l'agression, il avait travaillé grâce à des piqûres de morphine sans prendre de repos, ni même le temps d'aller porter plainte –, on estime qu'il a redoublé d'ardeur pour ne plus penser à sa blessure, on pince les lèvres en concluant doctement « il refoule, c'est pas bon » mais on s'abstient de lui parler de sa convalescence, car il n'engage plus personne au dialogue et turbine comme un dingue, le fond de l'œil de plus en plus jaune, la sueur de plus en plus aigre, la parole de plus en plus rare. Dingue, il le devient parfois la nuit quand les cloches passent au-dessus de sa couche et sonnent « salaud ! salaud ! » et qu'elles le réveillent, haletant, la nuque en feu, les jambes lourdes, il se lève hagard puis va boire une lampée d'alcool au goulot, n'importe quoi, exagérément, mais sans chercher à jouir de la saoulerie, espérant seulement se rendormir comme un sac, n'y arrivant guère avant l'aube : à présent, il perd pied.

De retour dans le baraquement, il se dirige dans la salle de réunion où on l'attend. La nouvelle l'a précédé. Les chefs d'équipe sont tendus : alors quoi, on arrête les travaux ? On arrête tout pour des piafs ? Combien de temps ? Après ça on va douiller quand va falloir tout rattraper ! Un des ingénieurs fait le malin, s'exclame à voix forte eh, moi aussi j'voudrais bien qu'on protège ma zone de reproduction ! La salle rigole. Diderot attend que le silence se fasse puis annonce froidement que le chantier est arrêté pour trois semaines, après quoi il quitte la salle.

Affluant des différents sites, les ouvriers sont rassemblés sur l'esplanade et les chefs d'équipe s'alignent face à eux. L'un d'entre eux se racle la gorge et annonce l'arrêt temporaire des travaux. Trois semaines de vacances, les gars. Y a des zoizeaux qui pondent et faut pas les déranger, c'est comme ça les gars, c'est la nature. Remous dans l'assemblée, brouhaha, têtes qui se tournent et cous qui se tendent comme si les corps soudain cherchaient de l'air à respirer un oxygène qui ne mentirait pas, les épaules ondulent, les mains s'agitent nerveuses au fond des poches – et certaines se referment en poings serrés, gonflées bientôt cramoisies – les jambes flageolent, ou piétinent :

146

à toute allure, l'air se tend sur l'esplanade. Et on va être payé ? Première question qui fuse. Mines ennuyées des chefs d'équipe qui esquivent, ne savent pas, hasardent des consignes douteuses, profitez-en pour vous reposer, ou pour visiter la région, ou pour rester en famille, ou pour vous faire des copines, hein, y a des tas de nanas très chouettes dans le coin, hein, vous en dites quoi ? Mais les types rigolent jaune, ne marchent pas : pourquoi pas dire merci pendant qu'on y est, hein, merci patron, pourquoi pas se féliciter en se tapant dans le dos elle est pas belle la vie ? Qu'est-ce qui nous prouve que le chantier va reprendre, pourquoi on touche pas notre paye au moins ? C'est un des gars de Detroit qui a parlé, un type au visage émacié, la peau sèche, abîmée de vieilles cicatrices d'acné et de dartres rouges, ses cheveux blonds sont coupés en queue de rat dans la nuque, il a des yeux très clairs, presque blancs. Il se méfie, dit connaître par cœur ces beaux discours, je vous préviens, je me ferai pas enculer deux fois de suite, et les autres derrière lui, approuvent en hochant la tête, ouais, ouais, marre de se faire avoir. On veut notre paye, maintenant, on la veut là tout de suite sans quoi on arrête les frais, on se tire pour de bon. Sa voix porte sur toute l'esplanade, caverneuse et brisée, un violent coup de front escorte chaque fin de phrase, il brandit sur les chefs d'équipe un index fumasse dont l'ongle est rongé jusqu'au sang et cerné de petites peaux. Les chefs se concertent du regard, l'un d'entre eux se tourne vers Summer, faut prévenir Diderot, ça merde tu lui dis, ils veulent leur fric, puis il déclare, très calme, ok les gars, faut être raisonnable, on ne peut pas prendre l'engagement que vous toucherez votre paye aujourd'hui, mais on va faire le maximum. C'est combien le maximum ? L'ouvrier de Detroit ne lâche pas l'affaire – là-bas, des milliers comme lui avaient été menés en bateau, maintenus dans les ateliers par de fausses promesses alors que tout se cassait la gueule, et quand la General Motors avait commencé à licencier les hommes par paquets de dix mille, c'était trop tard, c'était foutu, c'était lui qui avait fermé la boutique et depuis s'en voulait de n'être pas parti avant la casse, il y avait moins de gars sur le carreau et ses références étaient bonnes, il aurait touché plus de pognon et aurait pu se refaire plus vite, et sans doute qu'il aurait pu garder sa femme repartie vivre chez ses parents avec leur fille après que la maison avait été saisie un dimanche matin, le jour de leur anniversaire de mariage, la maison et la télévision, la jolie cuisine équipée, le canapé trois places, le barbecue, son vélo d'appartement à elle et sa canne à pêche à lui, le karaoké électronique de la gosse, le camion dépêché par la banque s'était placé juste devant le garage et avait ventousé leur vie de l'intérieur, avait tout avalé, ça ne s'arrêtait plus, on ne voyait rien depuis l'extérieur mais on entendait le bruit des meubles et des affaires entassés n'importe comment derrière les bâches, poussés, tassés, et sûr qu'il avait dû y avoir de la casse, c'était comme un gigantesque aspirateur qui vidait la baraque, qui vidait leur vie, sa femme avait assisté à tout, droite et silencieuse, puis une fois les scellés posés sur la porte, avait mis une grosse valise dans le coffre de leur Rover beige, ceinturé la petite sur la banquette arrière, et s'était tourné vers lui glaciale tu permettras quand même que je garde la voiture ? –, il redemande, criant cette fois, c'est combien le maximum ? Summer a repris sa place dans les rangs, messagère de Diderot : on paye. Les gars ayant appris la nouvelle, certains forment une file pour récupérer du cash – et parmi eux Katherine Thoreau, Soren Cry, Duane Fisher et Buddy Loo, les Indiens –, tandis que les autres se dirigent vers les vestiaires, perplexes. Summer et Sanche se tiennent côte à côte : et nous ? on va être payés ou pas ? C'est Sanche qui a parlé en opérant de petits mouvements de bascule sur les talons pour se dresser sur la pointe des pieds. Tout le monde, Summer sourit, tout le monde va prendre sa thune et rendez-vous dans trois semaines.

Plus tard, Summer bazarde son casque dans un coin de son bureau, se dirige vers le lavabo pour boire au robinet, asperge alentour – franchement, il y a pourtant des gobelets, tout ce qu'il faut, et l'eau de Coca est souillée, cela ne fait pas de doute –, s'essuie du revers de la main et va s'asseoir devant son ordinateur : pas de nouvelles du Tigre dont le visage commence à se dissoudre, figure et corps clignotant précis lors d'illuminations intermittentes, sablonneux soudain, et virant translucides – aussi Summer ferme-t-elle les yeux de plus en plus souvent, et même appuie des poings durs sur ses paupières, anxieuse à l'idée qu'un jour il n'y aura plus rien, pour le faire réapparaître à toutes forces, contrer l'effacement progressif de ce type exactement comme on remonte la lourde chaîne du seau d'un puits de ténèbres, exactement comme on le remonte à la lumière, lui et sa cargaison fragile, périssable – ho hisse, ho hisse, quelle tête a-t-il, le Tigre, quel est le timbre de sa voix, le grain de sa peau, l'odeur de son corps, quel est le goût de sa bouche, ho hisse, ho hisse.

Autour d'elle, la centrale à béton ronronne, les ouvriers – conducteurs de chargeuses et chauffeurs de camions malaxeurs – travaillent, les granulats s'acheminent à vitesse constante, bien répartis sur les bandes transporteuses et ce flux d'énergie continu la sécurise, l'enveloppe comme une couverture, une sorte de cabane mentale où elle passe maintenant le plus clair de son temps : la centrale est devenue sa demeure, un abri. Disposant d'un point de vue sur l'ensemble du site, elle y contrôle tout l'outil industriel, baissant les yeux sur l'écran tactile dernier cri, y suit en temps réel, étape par étape, la fabrication du béton, prête au moindre ajustement : à tout moment, la nature variable des granulats peut exiger la modification d'un paramètre de l'une des trois cent cinquante formulations mémorisées dans l'ordinateur. À ceux qui la charrient fayote, moquant son temps de travail record, y voyant excès de zèle, ou d'ambition – Sanche Cameron en tête – ou encore, et beaucoup plus pernicieux, et violent à entendre, à ceux qui sous-entendent que la pauvre, elle n'avait donc que cela dans la vie, rien d'autre à part scruter son pupitre et réagir à la détection d'une anomalie sur la courbe énergétique du malaxeur, graphe informant sur la consistance du béton, Summer répond avec calme qu'elle aime se tenir là, sur son lieu de travail, à son poste de commande, que la métamorphose de la matière est un spectacle qui la fascine, qu'il faut bien que les choses avancent – peu convaincante en cet instant, on s'entête à voir dans son discours articulé le masque de sa solitude.

Summer examine son plan de travail, évalue ce que signifient ces trois semaines d'interruption pour elle qui demeure en charge du mouvement perpétuel – la bonne blague.

On ne s'arrête pas. On ne s'arrête pas, nous, tel est son premier réflexe, on ne s'arrête pas, on prend de l'avance, on ne s'arrêtera que lorsqu'il sera impossible de stocker les bétons sur le chantier, *we just keep on going*, c'est tout ce qu'elle trouve à dire la bouche grimaçant sur ses tableaux quand deux types frappent à la porte et demandent s'ils doivent stopper les centrifugeuses. À ces mots, ils froncent les sourcils, le plus petit des deux, un Mexicain trapu, précise tout le chantier s'arrête et Summer se retourne, le fusille du regard, pas nous, on va prendre de l'avance. Les types reculent sur le palier et referment la porte, elle les entend jurer en espagnol la salope, la *hija de puta*. Puis on frappe de nouveau. C'est Sanche. Il passe une tête en travers de la porte. Ça va ? Il a ôté

151

sa combinaison de chantier et s'est habillé pour sortir en ville, un imperméable de cuir noir gestapiste à coutures jaunes apparentes, des chaussures pointues, un foulard de soie imprimée de feuilles de cannabis. Qu'est-ce que tu fous Miss Béton ?

Summer sourit, *nothing*, moi, je n'arrête pas, je suis en train de me mettre toute l'équipe à dos mais je m'en fous. Je n'ai reçu aucune consigne. Sanche lisse les pans de son foulard d'une main machinale, il la regarde, hausse les épaules, répond tout le chantier s'arrête trois semaines. Summer se tait. L'obscurité monte dans la pièce. La lampe de son bureau lui modèle un visage fantomatique orangé aux ombres grises, face de citrouille dans la nuit d'Halloween, elle est effrayante, tu devrais arrêter de bosser Diamantis, viens avec moi, tout le monde est parti maintenant. La fille secoue la tête, le béton est une cuisine très compliquée, tu sais, très, on pense toujours qu'il s'agit d'un matériau basique mais c'est une substance étonnante, joueuse, arrêter la production demande un protocole – Sanche soupire, fait semblant de battre en retraite en se précipitant contre la porte, pitié, non, tambourine contre la porte, délivrez-moi de cette dingue –, elle hausse la voix maintenant et accélère son débit, par exemple une formulation de béton doit être validée par des essais en laboratoire puis par des essais sur site, on surveille ses caractéristiques mécaniques à vingt-huit jours, et c'est long, c'est très long de trouver la bonne énonciation, celle à laquelle on va pouvoir tout demander, celle qui répondra aux souhaits de l'architecte, la bonne teinte, la bonne résistance au gel, au dégel, celle qui endurera des écarts de température, celle qui fera que le béton ne prendra pas trop vite, ne fluera pas, sa voix s'évanouit doucement, elle tourne le dos à Sanche qui a posé sa main sur la poignée de la porte et s'apprête à sortir tandis qu'il articule stop, t'es chiante Diamantis. Volte-face de Summer qui répond une centrale, c'est pas une bagnole, c'est un processus, ça ne s'arrête pas en appuyant sur un bouton, faut qu'on soit sûrs de nous, c'est clair ?

Il est cinq heures du matin. Un balcon, Diderot, et au-devant de lui, le paysage qui bouge. Il se tient appuyé contre la rambarde glacée, nu, la couverture poncho sur la tête, le torse incliné vers la rue où la neige a durci par plaques maintenant, remblayée le long des trottoirs en cordons sales. Bras calmes et jambes ensommeillées, voûtes plantaires bientôt scellées par le froid sur le sol de ciment, il se penche, respire, cherche, là-bas, avance la tête vers le fleuve qu'il sait à sa portée, si bien qu'il en touche une portion entre deux immeubles, surface passe-velours apparue sous la brume hivernale : les oiseaux sont toujours là.

Plus qu'un jour sans pont, pense Diderot qui frissonne chair de poule quand devant lui le paysage se déploie à mesure que le jour monte, plus haut, plus clair, plus large, plus profond, plus contrasté, à mesure qu'il s'étage et se terrasse – façades hétérogènes et toits frangés de parabo-les, slips et blasons capitalistes, parkings aériens, échangeurs routiers, arcs de triomphe, grues,

154

flèches, dômes –, à mesure qu'il se fragmente et se compose dans un même élan qui est encore celui des commencements, combinaison puissante où se fixe, en arrière-plan et loin, haute et grise, la grande forêt de l'autre rive. Son cœur rabougri au sortir d'une nuit close se dilate lui aussi, à l'unisson de l'impulsion qui cheville la levée du jour, laquelle suffit à faire tomber la capuche sur ses épaules et dégager sa tête hors de la couverture, sa drôle de tête que le froid enflamme comme une poignée d'herbes sèches, il sent son cœur qui frappe maintenant dans son abdomen bang bang, frappe si bien qu'il déchire la journée sans pont qui s'annonce, journée de merde il le sait d'avance puisque vingt jours de chômage technique c'est l'angoisse qui prend la tête, le pli au front et le nœud au ventre, c'est la calculette qui colonise le crâne et les pénalités qui grimpent. Bang, bang. Coup d'œil dans le ciel sec, il pivote à l'intérieur, s'habille à toute allure, gorgée de café froid et pas de douche, rien, pas même de dentifrice, juste un nouveau pansement autour de son bide cicatrisé, la bande Velpeau qui le ficelle, un cuissard de cycliste moule bientôt ses grosses cuisses, il chausse des chaussures de vélo, trois tours d'écharpe, un bonnet de grosse laine jaune, enjambe son désordre et sort direct, claque la porte, descend l'escalier, empoigne son vélo dans le local, et le voilà dehors, bien vivant, et l'odeur de la nuit sur la peau, dehors dehors dehors, puisque c'est là qu'il faut être.

Goût de renaissance. C'est la première fois qu'il sort depuis une semaine entière – la dernière fois qu'il avait connu un tel affaiblissement, il avait dix-sept ans et le rein amoché dans un accident de moto, il pissait du sang et ne se levait plus –, l'arrivée des oiseaux, le condamnant à l'inaction, n'avait fait qu'empirer son état. Un coup de mou. Il avait enquillé des jours de gamberge, où plus rien en lui ne savait faire rempart à la tristesse qui s'infiltrait sous sa carcasse – par la fente de sa blessure pensait-il, laquelle était pourtant totalement réparée, indolore, à présent simple trait de peau violacée sans plus de boursouflure – et empoisonnait son sang. Il avait passé le plus clair de son temps à souffrir, à s'obséder de l'homme contre lequel il s'était bagarré, et déjà faisait mille plans pour le revoir tandis que là-bas, au chantier, dans les bureaux ralentis, les gars se gobergeaient de commentaires : Diderot colosse aux pieds d'argile, tigre en papier, chêne qu'on abat. Certains parlèrent de retrouver le coupable – par précaution, Soren Cry prit soin de jeter son couteau dans le fleuve –, s'échauffèrent à programmer une expédition punitive sur Edgefront, dans les quartiers louches, puisque ça ne pouvait que venir de là-bas, ces mecs-là quand, étrangement, personne ne s'attarda sur les témoignages de Summer Diamantis et de Katherine Thoreau qui toutes deux avaient parlé d'un homme blanc en cravate. Le chantier vire pétaudière, la déliquescence menace. Les travaux reprendront demain. Il est temps.

Rouler lentement, d'abord longer le fleuve, sur deux miles suivre la piste asphaltée noire qui faufile la rivière gelée, ferme et intense comme si tracée à l'encre de Chine contre le glauque incertain des eaux statiques, passer le Financial District juvénile, coruscant, hérissé de ces grues trop rouges, trop hautes, trop neuves, un adolescent en pleine poussée de croissance voilà à quoi il fait penser, laisser le Park à main gauche, se promettre d'aller y traîner au retour des beaux jours, d'aller voir si on y troque autant qu'on le dit – une imprimante HP contre un pouf marocain clouté à Meknès, une édition du *Village Voice* contre des moules à muffins, une pipe à eau contre une couette Ikea –, si on y trafique, si on s'y prostitue autant qu'on le dit, si on s'y dépense – arts martiaux en sous-bois, cerfs-volants en prairie, balle aux prisonniers, foot et course partout –, si on y fait l'amour dans des vapeurs de joints, compactés dans des trips d'acide sur fond de musiques planantes ou désolidarisés alanguis sous les amples feuilles vertes, molles et très accueillantes des bananiers, si on y entend des poètes en jean baggy et tongs fluo psalmodier la langue des hiboux tressée dans celle des capitalistes, si on s'y organise politiquement, si on y danse sur des tombes indiennes, si on y prie, voire enfin si la zone fabrique une utopie au cœur de Coca, une clairière où fluctuerait la parole débridée, une trouée où se reformulerait le monde, et Diderot qui pédale de mieux en mieux caresse du regard ses frondaisons poudrées de neige, les Black Oaks de Californie aux reflets de bronze et l'or crayeux des ginkgos, file contre la muraille qui respire, floconneuse, et ceinture ce parc sans grille et sans grillage –, alors prendre son élan et s'engager sur le boulevard qui serpente à flanc de vallée, respirer et inspirer régulièrement, ne pas forcer surtout, ne pas gaspiller ses forces, ne pas se précipiter, mais grimper en cadence, attendre pour changer de vitesse, quand la côte atteint un pourcentage idoine, basculer sur le plateau adéquat sans pour autant pédaler plus fort, profiter des virages, passer les McDonald's, les Trader Joe's, les Wallgreen et les Safeways, et une fois parvenu en haut du boulevard, alors seulement, tourner à droite et gagner le promontoire circulaire qui avance dans le vide, balcon qui domine la vallée, la ville, le fleuve et le pont qui se hausse sur le fleuve, le dôme de la forêt derrière, descendre de vélo, décrocher la gourde et boire l'eau qui aura pris ce goût de métal qui est pour Diderot la saveur même de Coca, embrasser le paysage blanchi, scintillant sous le soleil dur, et mesurer le chemin parcouru, c'est la première halte.

Diderot souffle comme un bœuf, l'eau dégouline sur son menton glacé, son visage est couleur de betterave et la sueur coule sur ses yeux : il n'aurait jamais cru avoir tant de mal à gravir la côte. Il est accoudé au garde-corps qui goutte de glace fondue, les pieds enfoncés jusqu'aux chevilles dans une congère salopée de crasse, le menton posé dans sa grosse patte caoutchoutée d'un gant, il regarde Coca au fond de la vallée : tout ça c'est plus de mon âge, je n'ai plus le corps

pour, plus les épaules ad hoc, les jambes assez
solides et les pieds assez nerveux, bientôt songe à
la petite maison dans le Finistère et secoue illico
la tête, no way, le Finistère, putain rien que le
nom le fait fuir puisqu'on y est à bout de continent
– il y aurait juste sa mère comme croûte terrestre,
sa mère en blouse bleue taillant les buissons, ses
mains avançant entre les feuilles un sécateur beaucoup trop lourd pour elle, sa mère bossue dans
les massifs parme, bleu ciel, roses, sa mère toute
petite, toute sèche hormis les joues très rouges et
cirées comme des pommes, toute friable, ostéopo-
rose et trous de mémoire, ils iraient marcher baie
des Trépassés, sur la plage de sable où s'échouent
au bout de huit jours les macchabées noyés dans
le raz de Sein, rigoleraient du toponyme macabre grand-guignolesque et se feraient piéger par
la nature implacable du lieu, par son vacarme,
observeraient les vagues formées au loin qui
enfleraient puissantes, de gros rouleaux de force
à la fois brute et nébuleuse qui pulvériseraient la
lumière sur leur passage, et s'imposeraient à eux
dans une sorte de fatalité absolue, comme le tout
premier monde, la toute première preuve des
jours, et peut-être même qu'il se baignerait à poil
dans la mer, se dressant sur la pointe des pieds et
levant les bras à chaque vague claquant contre son
ventre, en hurlant de froid, de joie, de peur, en
hurlant la bouche grande ouverte aussitôt étouffée
par tant d'oxygène et d'azote, aussitôt sèche et
muette, tandis que la petite vieille se réciterait le
nom des caps et des rochers, le cardigan bordeaux

boutonné jusqu'au cou, les charentaises enfoncées dans le sable humide prenant la mer et les crabes, oui, peut-être qu'il serait temps maintenant de rentrer et d'aller se poser en un lieu de la Terre où il n'est plus de sol à creuser, justement, plus trop de gestes à faire, un lieu où il pourrait jouir du monde tel qu'il est, la simple perception, frontale, sans qu'il soit besoin d'y rajouter de l'action, sans qu'il soit besoin d'en faire quelque chose d'autre que ce qui existe là, tangible comme une fleur qui plaît et que l'on cueille d'un geste, une pure sensation qui pourtant, comme le mouvement des vagues justement, comme leur enroulement savant et mystérieux, le retournerait de l'intérieur et lui secouerait la paillasse, juste un banc de sable alors, un peu de terre et d'eau, l'exubérance animale partout et l'odeur amère des algues, juste un cap, un endroit simple et rudimentaire, et déserter pour de bon les aéroports.

Au fond de la vallée, Coca éblouit, et c'est comme de voir l'impatience, l'avidité, le désir rapace. Et cela requinque Diderot, cela le revigore. Il remonte en selle, hop, et voilà qu'il tourne le dos à la ville et au Finistère futur, s'oriente vers la plaine blanche, de nouveau ses pneus sifflent sur le bitume, de nouveau le plaisir d'être véloce, de fendre l'air comme s'il était matière, de nouveau la joie de pénétrer l'espace tête la première, couché sur le guidon en position de vitesse et faisant corps avec la machine, cheveux et vêtements faseyant bruyamment dans l'atmosphère comme autant de drapeaux minuscules, alors Diderot rit aux éclats, l'air glacé qu'il avale lui sèche la gorge mais il ouvre la bouche, ses dents gâtées de dépôts tabagiques luisent au soleil et sa grosse langue tout-terrain bat sur sa lèvre inférieure, l'air qu'il expire s'échange contre celui du causse, c'est un étrange vertige, comme si sa seule présence faisait exister l'espace autour de lui, comme s'il en était à la fois le centre et le moteur. À ce point-là, c'est l'extase : les forces conjuguées de son corps et de ses roues le propulsant avec la fermeté d'une pièce d'artillerie, l'embardée cycliste prend tout son sens. Diderot décolle, plane, soulevé, et ses pensées se matérialisent elles aussi, roulent dans son cerveau, tangibles comme des cailloux, et précises, il a les idées claires – c'est toujours sur son vélo que tout se décante, que tout se cristallise.

Retour par Colfax, bientôt midi, un rade à barbaque, des pick-up à pneus neige, et en marge du parking, une balançoire vide qui grince lugubre sur un portique : Diderot a faim, il entre. Salle sombre lambrissée de pin jaune, pas de fenêtre mais des décorations de Noël en abondance, musique de boîte à fort volume – Jefferson Airplane, *Somebody to Love* – et brouhaha phénoménal qui couvrent enfin sa météo interne, va-et-vient incessant des serveurs aux sourires durs, au phrasé mou. Une fille coiffée d'un chapeau de cow-boy l'accueille carte en main, débite une salutation commerciale en forme de question, comment ça va aujourd'hui ?, tourne les talons, le guide entre les tables peuplées de bières et d'hommes vêtus de grosses chemises à carreaux, sinon deux ou trois duos de nanas, une famille. Pour Diderot, une table dans un coin et andiamo : triple burger, patates, coca.

Quand la porte s'ouvre, le rai de lumière blanchit l'atmosphère et révèle la poussière en suspension dans la salle, milliards de particules sans masse, sans volume, mystères de la matière, puis des silhouettes noires entrent qui frappent leurs chaussures sur le paillasson avec une ardeur disproportionnée, au prétexte d'en bien décrocher la neige bientôt changée en flaque. Diderot s'agace de les entendre bam bam pendant des plombes, fait chier ce boucan, hausse les sourcils : une nouvelle famille s'est attablée de l'autre côté de la salle. Il y a là une petite fille dans une chaise haute, deux ados, une femme aux cheveux châtains, un homme en chaise roulante. La femme retient son attention. Elle ôte une parka fuchsia, sort ses cheveux de la capuche de son survêtement, maintenant étudie la carte tandis que l'homme en chaise roulante vide une première bière.

Au moment où la serveuse apporte leurs plats – trois burgers pour cinq, deux coca, deux bières, ils partageront –, Diderot croise le regard de la femme qui le salue d'un hochement de tête, murmure quelque chose à l'homme en chaise roulante qui le regarde à son tour, puis finalement elle se lève, traverse la salle et vient se poster debout devant sa table, son pantalon de jogging est flasque, trop grand pour elle. Bonjour, elle sourit – fard turquoise en couche copieuse sur des paupières enflées, mascara lourdingue, cernes lilas, gommettes de blush abricot sur joues creusées, bouche augmentée d'un trait brun, c'est carnaval ou quoi ? Diderot pose ses couverts et sans se lever articule bonjour. La femme lui tend la main : Katherine Thoreau, je travaille sur le chantier, c'est moi qui vous ai ramassé l'autre jour. Diderot surpris se lève aussitôt, ah, et lui serre la main, vaguement contrarié par l'emploi du verbe ramasser. Maintenant ils se font face. La femme est grande, ses beaux cheveux sentent le shampooing familial et la cigarette, elle appuie ses yeux dans les siens, des yeux vert pétales de sauge, la douceur même, ça va mieux alors ? Sa voix se perd un peu dans le boucan du restaurant, celui de la musique et des serveuses cow-boy qui hurlent les commandes, mais Diderot s'est placé d'instinct sur la bonne fréquence, et il l'entend. Super, voyez ça – il lève les bras en l'air, pour un peu tournerait sur lui-même –, une serveuse chargée d'un plateau d'assiettes sales passe entre eux, il repose les mains sur les hanches, super, non, vraiment, impeccable. Je vois ça, elle sourit, la moue outrant l'admiration, les yeux brillants maintenant, vous êtes venu à vélo ? Diderot se racle la gorge, oui – lui qui ne pensait plus à son cuissard moulant ni à ses petites pompes plates, ne pensait plus à son corps au fond, se sent nu et troublé, alors s'efforce de rameuter ses souvenirs, l'homme en cravate, la bagarre, la douleur, mais ne se souvient pas d'elle, ni que ses cheveux lui aient caressé le visage alors qu'il gisait dans la bouillasse, imbibé de flotte et de sang, c'est qui cette nana ? Donc tout est nickel ? elle redemande toujours rieuse, amorçant une retraite vers sa table – mais je sais moi qu'elle traîne un peu, passerait même carrément la journée de ce côté de la salle avec cet homme beau comme un continent. Ils sont debout, dressés comme des totems dans l'odeur de friture, ils ont chaud, piétinent, embarrassant les serveurs qui les effleurent, encapsulés dans l'instant qui s'épuise à toute allure. Nickel, Diderot l'observe en tordant la bouche – cela fait combien de temps qu'il n'a pas parlé comme ça avec une nana ? Ignorant les trois têtes dans son dos et la petite qui braille, Katherine a enfoncé ses mains dans ses poches, y a intérêt, elle le détaille de bas en haut, faussement sérieuse, on reprend demain alors mieux vaut être d'attaque, pas vrai ? Elle est jolie maintenant, jolie à force de gaieté, le regard doux, le beau cou, le corps délié, si jolie que Diderot, cherchant comment poursuivre, la questionne, abrupt : vous travaillez dans quelle équipe ? Fin du rire – finis le chat et l'hirondelle, la parenthèse de déconne et le désir moléculaire, on a maintenant, face à face, le boss et l'ouvrière, et c'est sec comme un coup de trique. Katherine Thoreau se fige pour répondre je suis conductrice, Anchorage three. Ah, très bien. Diderot se mord les lèvres, pense t'es qu'un con, t'es qu'un gros con, tandis que la femme affermit un pas en arrière, signifiant qu'elle s'en retourne à sa table, maintenant pressée d'en finir, mais à cet instant heurte le fauteuil roulant, trébuche, pivote, c'est un homme que Diderot n'avait pas vu venir derrière elle et qui annonce, doucereux : ton assiette refroidit chérie. Katherine pousse un cri de surprise, se couvre illico la bouche, elle non plus n'avait rien entendu, d'ailleurs on ne s'entend pas ici, puis elle enchaîne les présentations en regardant ailleurs : Lewis, mon mari, monsieur Diderot, le boss du chantier – articulant ces mots, elle se sent minable, le boss du chantier ! et pourquoi pas s'agenouiller et lui lécher les pieds pendant qu'elle y est ! Elle enrage, voudrait fuir pour de bon, mais Lewis tend une main enjouée à Diderot, oh je vois ! c'est vous qui avez été planté par un dingue ? Diderot acquiesce, à son tour recule vers sa table, mais Lewis insiste et glisse encore vers lui, pourquoi vous venez pas finir votre repas avec nous, monsieur Diderot ? C'est pas marrant d'être seul à table, pas vrai, chérie ? Katherine accablée souffle on ne va pas l'embêter, Lewis. C'est alors que Diderot, comme un acteur mal dégrossi, a regardé sa montre puis a décliné, je vous remercie mais voyez j'ai terminé, je dois y aller, après quoi il a payé, ramassé ses affaires et en passant devant la famille attablée, a salué de la main, un salut auquel seul Lewis a répondu, les garçons, eux, le regardaient fixement, et elle se tenait les paupières turquoise ostensiblement baissées dans un verre d'eau, ignorait la petite qui gémissait en lui tendant les bras réclamant justice, ils avaient dû se disputer le nombre de frites et les gorgées de coca, et d'ailleurs, dans les assiettes, il ne restait plus rien pour Katherine.

prendre la mesure des lieux

Quand vient la nuit sur le territoire, Coca se précise. Le noir lui est propice, il l'affole, la chauffe, la livre crue et brutale, les contours acérés quand l'intérieur se trouble de milliers de lueurs rivales, il la divulgue orange, effervescente, pastille de vitamine C jetée dans un verre d'eau trouble, bocal de fioul posé dans une cuvette, distributeur d'oxygène, de speed et de lumière.

Le jour qui tombe multiplie sa lumière et abonde son bruit, la ville redouble de vitesse, les langues accourues s'emballent dans de grandes bouches excitées, et ce nom qui partout se propage : Coca ! Coca ! Coca ! The Brand New City ! Une zone de prolifération où pullulent entre autres businessmen fébriles, dealers de toutes sortes, adolescents fourbes, dandys opiomanes, usuriers, usurières, filles nyctalopes et assassins en perruque. Les grands journaux de la Côte, les premiers alléchés par sa réputation tout autant que fascinés par sa croissance, en publient chaque semaine l'image chaude et nerveuse, la comparent à une vierge nubile, fruste et maligne, encore malpropre, regardez-la, regardez-la bien qui racole sec, parée comme une petite pute, main posée sur une cambrure recousue de strass, féroce, déterminée, écoutez-la qui vous appelle, entrez les gars, venez voir, venez goûter. Certes, ils forcent le trait, parce qu'il faut toujours que les colonnes croustillent scrountch scrountch, mais ils disent vrai, au fond – et le sexe était bien ici l'un des principes activateurs du grand mélange global, pratiqué pour abolir, du moins en avait-on l'illusion, les différences sociales, physiques, générationnelles –, ce n'est un secret pour personne, et traverser Coca à n'importe quelle heure de la journée suffit à juger de la frénésie d'une ville dopée à la sueur et au fric, tendue à mort comme gaufrée au Botox, suffit à mesurer la force de l'effet Joule géant qui travaille les lieux.

Coca est promesse de grande vie. On y vient de loin, le corps impatient avec au fond des poches de quoi voir venir pour seulement quelques jours ; alors *turnover* des hommes et des désirs, joues brûlantes et pupilles bouillantes, rues rapides comme des moteurs centrifuges et gratte-ciel ouverts sur le ciel dispendieux de la bonne fortune : puissance effective du territoire. On y croise ce qui fait le gros bouillon d'une ville, on y entend les spasmes du béton et la scansion violente des cœurs immergés dans une turbulence commune. Or le secret de ce *flow* incomparable qui fait ici pulser plus fort le sang dans les artères et perler la sueur au bas des reins, ce secret-là n'en est un pour personne, il circule par tous les réseaux possibles comme une actualité : ne venir à Coca que pour y faire quelque chose, et baste ! Non pas y faire souche, encore moins s'y distraire ou prendre du repos. Mais l'approcher en fauve ambitieux, respirer fort, donner un grand coup de latte dans la porte et débouler sans attendre, sans se faire annoncer, mettre alors son plan à exécution.

Pourtant, aujourd'hui encore, on comprend mal comment des hommes aient pu songer à s'établir en contrebas d'un causse rouge si salement cabossé, dans le fond plat d'une vallée aux flancs asymétriques où descendaient à l'aube hyènes et lynx aux incisives encore ensanglantées. Oui, on comprend mal comment des crève-la-faim fanatiques, portés par la seule mission de donner une terre à leur culte, un culte à leur dieu, un dieu à leur trépas, avaient réussi à traverser le continent dans toute sa largeur, à tailler la prairie et les montagnes, trouvant en chemin une herbe assez haute pour nourrir leurs bêtes, à se frayer un passage dans la forêt de cactus qui ceinturait la plaine – des plantes aux ramures aiguisées comme des coupe-choux ou tout autre sabre d'abattis – frontière de barbelés de la hauteur d'un homme à cheval, comment ils avaient étranglé à mains nues les serpents à sonnette, passé par le fond des canyons, comment ils avaient contourné les étangs glauques mués en lac gelé l'hiver, en réserve à moustiques mortifères l'été. Comment ils avaient bravé la chaleur de bête et le froid de gueux. Chassé le daim, piégé le lièvre, harponné les tanches. Tué des Indiens. Comment ils y avaient traîné les leurs entassés à bord de chariots crasseux, construit des maisons, élevé des bisons, engraissé des porcs, enclos des champs de patates et de maïs pour nourrir le tout. Combien de cadavres et combien de dingues au bout de la route ? Combien de chevaux dépecés en steaks sur des feux primitifs ? Combien de scalps ? Comment ils avaient pu y rester surtout, et continuer à y prendre femme, à y faire des enfants, à y enterrer leurs morts, printemps été automne hiver, une année, puis deux, puis dix, printemps été automne hiver, continuer à y brûler des cervelles et à y trouer des poitrines, à y éviscérer des corps, printemps été automne hiver, comment ils avaient fait, oui, on se le demande vraiment, car demeurer là, sur cette langue de terre évasée comme un jupon sur le bord du fleuve, grandir entre les hautes plaines et la forêt hurlante, y prendre racine, c'était tout de même défier le Ciel et la Création, prétendre à tutoyer le coyote et enfumer le grizzly, à boire de la neige fondue jusqu'à se coller la chiasse, à faire rôtir les scorpions accroupis épaule contre épaule, à cracher du sable et frotter du silex. Ils l'ont fait pourtant, ces hommes barbus aux cheveux de chanvre, ces femmes en bonnet, ces enfants fiévreux, tous sales et morts de peur psalmodiant des cantiques la main sur la gâchette, tous meurtriers : ils ont fondé une ville.

Or ils ne s'étaient pas trompés. Le coin valait le coup et plus encore la peine – les crevasses de larmes et les cloques putrides, les engelures marteaux à fendre leurs pieds pâles : la vallée est large de sept kilomètres frayée entre les plateaux et le maquis géant, plate, une paume, et pourvue d'un fleuve sur son flanc ouest. Un climat rude mais loyal, décliné à la régulière solstice après solstice – du papier à musique, la scansion de leur vie, le portant de leurs jours, monotonie dont ils finissaient par mourir –, étés brûlants liquidés en orages avec ciel électrique et grêlons comme des balles de ping-pong, automnes éclatants, hivers glacés, printemps souverains, de la douceur alors, une douceur de clairière, mille nuances de vert, chevaux au pas dans la prairie, jeunesse et force des roseaux, air acide et eau qui bruite. Et il y a ces vents violents surgis par l'est, chargés du lœss qu'ils ramassent sur les plateaux, lequel imprègne le sol, ensemence la vallée, engraisse le bétail comme crème sur beurre. Arrivant, les hommes qui le pouvaient encore avaient mis genou au sol et porté à leur bouche une pincée de terre pour la goûter d'un claquement de langue – puisque là était le geste –, puis ils s'étaient relevés, avaient tournoyé sur eux-mêmes, lancé leur chapeau en l'air et hurlé on y est, c'est là, putain on y est, on est arrivés – de toute manière ils n'avaient plus le choix, c'était là ou jamais, les chevaux avaient la fièvre, les enfants ne parlaient plus, le ventre des femmes se couvrait d'eczéma et eux-mêmes devenaient fous.

Les premiers temps, Coca se ramasse en position de tortue. Les pionniers sont seuls au monde, terrifiés, convaincus de leur supériorité, arc-boutés sur leur élection. Ils s'installent, ils colonisent. Ils procèdent avec méthode, comme les Grecs : délimitent le territoire, placent le sanctuaire, tracent des lignes au sol, fichent des barrières, édifient des maisons, partagent les terres arables. Ils ratent, établie à trente miles au sud, la vieille mission espagnole si régulièrement décimée par les raids indiens, la dysenterie, les fièvres, qu'elle ne compte plus qu'une trentaine de membres, et encore, faut voir l'état des mecs – aucun parmi eux ne saurait raconter ce matin de janvier où, deux cents ans plus tôt, trois caravelles de quarante tonneaux, coriaces coques noires et voiles usées jusqu'à la corde, trouent les brumes océaniques, approchent des côtes, déchargent sur la plage prêtres et soldats, poudre, calices, marmites, barriques, bibles et encensoir ; aucun ne saurait faire ce récit : à peine les hommes posent-ils un pied à terre qu'ils font exactement ce pour quoi ils sont venus, ils s'éparpillent çà et là le long de la côte, érigent des camps cernés de petites murailles entre lesquelles sonnent bientôt de lourdes cloches catholiques, fers de lance et bases arrière de l'évangélisation, cultivent, chassent, chantent, baptisent tout ce qui leur est présenté, les Écritures dans une main, le mousquet dans l'autre, et commencent à crever d'isolement, vraiment ils crèvent, se pendent carrément, ou se noient, se bousillent les entrailles à l'alcool de racine ; et aucun ne saurait plus imaginer le moine franciscain de vingt ans, gosse halluciné au faciès de capucin (le singe) qui vers 1630 s'enfonce dans les terres suivant la rive orientale du fleuve, vingt hommes à sa suite, et qui, au terme de sept semaines de marche, dresse un autel de fortune dans une prairie au pied du causse et célèbre l'eucharistie, le fleuve miroitant un crucifix de bois : mission accomplie, vous êtes des enfants de Dieu, vous êtes à Santa Maria de Coca.

Coca fait le dos rond derrière ses palissades, ses enclos, ses bauges, ses corrals. Elle ne connaît donc pas la rage expansionniste des autres villes du continent, nées peu ou prou idem, ni ne prend pied sur la berge d'en face, de l'autre côté de l'eau, là où la forêt bombée couve des tribus hérétiques et anthropophages. À l'inverse, elle œuvre à la conservation de son périmètre, à la consolidation de sa circonférence : une ville-terrier crispée sur ses actifs – armes, troupeaux, femmes soumises – voilà ce que c'est. Un trou. S'y activent pour survivre un ramassis d'individus frustes et brutaux, qui le jour travaillent comme des ânes et la nuit venue ont peur – car la nuit sur Coca c'était la nuit au fond d'une poche, le noir en double couche où turbinait la trouille, car la nuit était dans le ciel mais elle était en eux qui ne levaient pas le nez et limitaient leur monde à leurs pieds et à leur estomac – et alors tuent, dansent, copulent et violent, imbibés d'alcool jusqu'à la racine des cheveux, enfin s'écroulent sur des paillasses qui empestent la sueur et le foin humide. Qui le matin sortent en titubant sur le pas des maisons, en caleçon ou maillot de corps, le cheveu hirsute et l'haleine pâteuse, un chien ou deux sur les talons, aussitôt pissent jambes écartées yeux papillotants, pointent du fusil les berges du fleuve, ciblent les loutres ou tout autre mammifère imbécile remuant par trop vivement dans la clarté de l'aube, pan! pan!, et ainsi dérouillés, rentrent à l'intérieur de la maison exiger leur café d'un grognement maussade. De purs péquenauds rapportent les quelques voyageurs risqués à Coca par le fleuve, eux aussi canon du pistolet bourré ras la gueule.

Les Indiens quand même finissent par se montrer. Depuis le temps. Un beau jour, ils sortent du bois et s'approchent pour voir, se coulent dans les buissons sans même froisser les feuilles, et soudain se dressent, immenses. Ils sont là, debout près des cabanes, ils sont armés de lances, et nus. Ils respirent comme des hommes. Terrorisés, ils foutent eux-mêmes la trouille, on pointe sur eux de lourdes carabines, on leur crie de rester où ils sont, de ne pas faire un pas, de ne pas faire un geste. Ils ne comprennent rien. On les aura prévenus. Des coups de feu claquent, des corps s'effondrent, tout le monde s'agite, et puis plus rien, de petits gémissements entre les hautes herbes et l'odeur de la poudre. Après quoi on a peur : ils ne nous aiment pas, ils ont l'air cruels, ils mangent la chair humaine et boivent le sang chaud à même les carotides, le tuyau dégorgeant direct dans leur bouche bestiale. Et s'ils revenaient ? On envoie des éclaireurs dans les bois pour les localiser, évaluer leur nombre et espionner leur force, la Mission qui se meurt envoie même des missionnaires pour leur donner une chance de savoir enfin que tous les hommes sont frères sous le regard de Dieu. Rares sont les émissaires qui rentrent sains et saufs de ces expéditions : des poteaux plantés à intervalles réguliers en lisière de forêt apparaissent le long du fleuve, exhibant des cadavres mutilés où viennent mordre des lynx aux yeux de bronze – *Felis tigris cocaensis* –, des colibris mouchetés et des serpents bleu électrique. On se barricade la nuit dans les pauvres baraques, on pleure de terreur, on tord le bec, on se caresse le menton et finalement on renonce à risquer sa peau en passant de l'autre côté de l'eau, en défrichant plus avant la forêt. À Coca, le fleuve fait son œuvre – il compose, il sépare – et les années passent.

Car il y a bien ce fleuve qui lui excite le flanc. Long cobra doré sommeillant et sauvage couché en chien de fusil sur tout un continent. Trois mille miles. Profond en ce lieu, et les gués introuvables bien que l'on eût dépêché sur les rives des éclaireurs à cheval pour en sonder le lit, large tout de même – un mile au moins –, assez large pour que l'on puisse y voir des tempêtes de haute mer, et fort, les eaux sombres et rapides plissées en surface par un courant puissant. On le dessine toujours petit torrent glacé devenu géant de paresse en son milieu, à hauteur de Coca, puis fleuve national aménagé, canalisé pour le commerce entre la ville et la mer. On aime bien ce jaillissement d'eaux cristallines qui se colore, s'opacifie, puis se trouble à l'huile de moteur, pollué dégueulasse en certains méandres, avant de se mélanger dans le golfe aux eaux salées de l'océan. D'accord. Mais voilà : le problème c'est qu'on ne sait pas d'où il sort l'animal, sa source est inconnue, jamais personne n'a pu en donner la position précise, les cotes GPS, c'est une chose incroyable, une histoire qui court depuis que la ville existe, ni le jeune moine franciscain au faciès de singe à capuche et son corps expéditionnaire dévoré d'angoisse et de moustiques, ni les cadors des premiers convois, ni les géologues et hydrologues qui, de Londres, Boston, Decazeville, Lons-le-Saunier prendront leurs quartiers à Coca entre 1866 et 1925 et remonteront la rivière en amont pendant des mois – les derniers venus font les détectives, ils racontent l'incendie de l'usine Pernod à Pontarlier en 1901, l'employé zélé qui vide une à une les barriques d'absinthe dans le Doubs pour éviter qu'elles explosent et la grosse rivière qui illico s'alcoolise, les soldats en garnison sur les berges qui en remplissent leur casque et la boivent, qui s'esclaffent, s'abreuvent en faisant gicler la flotte, en la laissant dégouliner sur leur menton, éclabousser leur barbe, leur manteau déboutonné, un miracle, le petit Jésus est descendu dans la vallée, et le lendemain, à une quinzaine de kilomètres, une autre rivière est contaminée, ses eaux très vertes à présent, les pêcheurs font la gueule, faudrait pas que ça nous foute en l'air les truites, et on découvre ainsi que la Loue que l'on croyait autonome, originelle, n'est finalement qu'une résurgence du Doubs : ébahissement de la profession et première coloration de l'histoire de l'hydrologie –, personne ne l'a trouvée, ni aucun aventurier solitaire, aucun héros de téléréalité jeté dans la forêt depuis un hélicoptère bariolé équipé de caméras à infrarouge, tous ont fait demi-tour, se sont perdus, blessés dans un ravin où s'enchevêtraient lianes grasses et fougères fluorescentes, ont reculé devant les chutes énormes soudain dressées à trois cents miles au Nord, murailles liquides dont le remous le plus délicat fracasse la meilleure embarcation de fer, et finalement tous se sont accordés à établir que voilà, il n'y a pas une seule source mais plusieurs, et que l'on reviendrait plus tard, et plus tard n'est toujours pas venu.

Il y a rapidement un port à Coca. La pierre dynamitée dans les canyons à l'est de la ville s'avance bientôt dans le fleuve en amas compact, formant des môles où les navires à fort tonnage s'amarrent dès le début du dix-neuvième siècle. Ils sont armés dans les villes opulentes de l'estuaire et remontent le fleuve sept jours durant, apportent machines, barriques de vin, étoffes précieuses, remèdes, livres et journaux, repartent lourds de briques et d'anthracite, de bétail, de peaux et de fourrures. Le trafic s'intensifiant, le fleuve devient l'ombilic par lequel Coca engraisse et se dégrossit : innovations techniques, évolution

179

des mœurs, révolutions musicales, progrès médicaux, modes vestimentaires, bruit des guerres et des fêtes, tout cela reflue vers elle sur ces longs vaisseaux photophores qui l'érigent en phare continental, lumière lointaine brûlant dans la pénombre d'une terre immense, sauvage, dont seules les franges se civilisent. Aussi, en 1850, un phare est-il élevé. Joshua Cripplecrow, alors maire de la ville – dénommé de la sorte car noiraud de poil, d'ongles et de dents, intrigant et boiteux, assassin –, n'a que cela en tête, c'est l'affaire de sa vie. On l'élèvera à la garde du fleuve, là où le lit se resserre avant de s'évaser à nouveau vers le sud en un bassin d'effondrement frangé de marécages, et sera pourvu au sommet d'un feu tournant sous une coupole de verre : c'est une tour de guet. Bientôt on pose des balises le long des berges, on encorde des bouées, on construit une capitainerie, une cale sèche, des chantiers navals, on forme des pilotes et aujourd'hui, Coca est encore le dernier port en amont sur le fleuve. Au-delà, la mangrove gagne sur les eaux, les îlots en formation perpétuelle font craindre des échouages, la carte des fonds est établie deux fois l'an, et naviguer requiert des embarcations légères à fond plat – canoës, pirogues, kayaks ; au-delà, ce ne sont plus que des pontons de bois moussus flottant en avant des cabanes riveraines. Mais il faut savoir qu'à hauteur de Coca, s'ils sont bien manœuvrés, deux tankers géants peuvent se croiser de front.

À l'époque de l'édification du phare – revenons en arrière –, on découvre de l'or sur la berge ouest, trois pépites lavées dans la boue, trois loupiotes qui frétillent au soleil. De l'or, de l'or. Alors ça rapplique sec. Des hommes surtout, des types jeunes, forts, pauvres, des gars pleins de croyance. Une nouvelle vague de migrants gagne Coca suivant la piste continentale des pionniers tandis qu'une autre traverse l'océan, vient longer les côtes noires sur des navires puants, avance lentement, très lentement, retrouve l'entrée de la baie – un passage si étroit pourtant, une toute petite porte, le chas d'une aiguille, et c'était une telle émotion soudain de surprendre la baie intacte, secrète, rien qu'en tendant le cou, comme on passe une tête curieuse par une porte entrebâillée, c'était d'une telle force –, le bateau mouille au fond du golfe, une troupe débarque qui remonte le fleuve, à pied le plus souvent, suivant sans le savoir la piste du jeune missionnaire, puis bifurque vers Coca. Une fois sur place, les nouveaux venus crachent dans leurs mains, fabriquent des barques, des radeaux, passent sur l'autre rive, y acheminent de quoi défricher le sol. Il y a du trafic, un Français monte une affaire de bac, affrète une première embarcation de soixante pieds bien profonde où deux chevaux, une douzaine d'hommes, quelques caisses de sucre et de farine, un baril de gnôle et vingt barils de poudre peuvent s'entasser. Ça marche du feu de Dieu.

Les gars n'y vont pas de main morte, ils se font de la place. Premiers arrivés premiers servis, telle est la loi du genre – faut savoir ce qu'on veut. Ils ignorent tout de cette portion de fleuve, ignorent les tombes indiennes parallèles à la rivière, les corps enterrés la tête vers l'océan, drapés dans des couvertures rebrodées de coquillages, ignorent les arbres sacrés, les séquoias géants serrés dans des frondaisons de cathédrales, les pins – *Pinus lambertiana* – et les petits autels d'argile où brûlent des plumes de perruche et des grappes de bruyère – *Prosopis glandulosa*. Ils coupent, taillent, débroussaillent à tour de bras, défoncent, retournent et creusent. Ils s'installent et certains palpent l'or – ils sont rares mais alors brandissent leur caillou, les yeux exorbités, hurlent à se déboîter la mâchoire, un long cri enflé entre les arbres, et alors réactivent la machine à espoir. On les regarde, on les envie, on se dit qu'ils ont eu de la chance et l'on se demande si la chance est démocrate ou s'il y a des élus, si elle sourit à n'importe qui, si elle pourrait même me sourire à moi, un tout petit sourire qui rédimerait d'un coup toute cette fatigue qui s'appelle mon corps.

Collier de bric et de broc, des maisons apparaissent sur ce qui est désormais appelé Edgefront. Elles sont campées dans la boue en une nuit selon la règle du «fait accompli», s'épaulent les unes contre les autres sur une bande de terre large de moins d'un mile, faufilent le fleuve sur une vingtaine au moins. Des familles s'installent, certaines débarquées à Sacramento par le train qui désormais unifie l'intérieur du territoire. Elles

182

cultivent des potagers, disposent des clapiers et toutes sortes d'enclos à poules et à cochons, des chemins poussiéreux quadrillent la grande lanière, des femmes accouchent en hurlant devant des bassines d'eau bouillie et bientôt des enfants jouent avec des bâtons, construisent des cabanes et piègent les ragondins. Le calme est revenu, c'est le grand statu quo : on ne pense plus aux Indiens, on les signale ici ou là aux deux extrémités de la lanière, là où la sylve touche à nouveau le fleuve, et parfois même, on échange avec eux. Mais plus personne n'entre dans la forêt hormis les coureurs des bois et ceux-là sont des hommes enveloppés d'un manteau de mystère : ils ont trafiqué l'alcool et les armes, chiqué des racines hallucinogènes accroupis contre des chamans parcheminés, appris leur langue qui compte quatre voyelles et quatre consonnes – quand les femmes n'ont que trois voyelles à leur disposition –, chassé des zibe-lines et des cerfs, apprivoisé le renard bleu et le petit duc à moustache (*Otus trichopsis*), ils ont pisté ce lynx aux yeux de bronze, et joué aux osselets avec les hommes-forêt vêtus de tuniques en peau de saumon ornées de coquillages collectés sur les berges – osselets en débris de crânes, cartilages de pifs, portions de clavicules, et toutes sortes de phalanges –, ils ont suivi jusque sous les huttes des fillettes qui traînaient après elles des poupées plates aux yeux de poisson et commercé avec leurs mères, puis ont suivi ces mêmes femmes dans les immenses prairies marécageuses, peuplées d'es-prits et de sons magiques, et si certains se font tuer d'autres ont des enfants. Hommes intermédiaires, ils ont sondé l'épaisseur du maquis sur deux cents miles au moins et à leur retour, quand ils émergent de la gangue poisseuse, et clignent des paupières, éblouis, les lèvres sèches et vertes aux commissures, la peau livide, on accourt vers eux, on les encercle calmement, on les accueille avec respect et on leur tend les bras : ils apportent les plantes rares et la pharmacopée, des baies amères et des feuilles qui salivent, encore des fourrures, plus rarement de l'or, des fleurs carnivores.

Un premier pont est construit en 1912, baptisé Golden Bridge. C'est un pont costaud, rustique, mais ombilical et de la sorte ambigu, comme si sa fonction première était moins de décloison-ner Coca, de favoriser son expansion sur l'autre rive, que de réguler le flot des pauvres qui vivent désormais de l'autre côté, de filtrer leur incursion dans la vieille ville et de faciliter le soir venu le retour de ceux qui travaillent dans les quartiers du centre, afin, surtout, qu'ils ne restent pas traîner là où l'on prise l'ordre et la sûreté des biens.

Les décennies qui suivent, la ville sédimente, son carroyage s'inscrit dans le sol, son plan aéré, diaphane, réservant encore de nombreux enclos d'herbe haute, se déplie lentement : les temples, les écoles à clochers, les bâtiments civils encore frêles, les minoteries, les fabricants de carrioles, les magasins, les hôtels et halles de foire, une petite université, un théâtre, quelques restaurants, de nombreux bars et saloons, tout cela coagule en douceur durant les années de prospérité qui suivent la Première Guerre mondiale. Un mode de vie s'élabore qui siphonne tout l'espace, le quotidien triomphe, ventouse les lieux, les absorbe et les neutralise, tandis que se figent les fictions vernaculaires qui désormais peuplent la ville jusqu'à se confondre avec elle comme une seconde peau, fictions qui interrogent la fondation de Coca, surgie ex nihilo sous le ciel infini, extrapolée dans la virginité du Nouveau Monde avec ce sens de l'accomplissement des communautés tenues dans la main de Dieu, mais fictions qui butent aussi sur sa mélancolie terreuse, son silence aphasique, comme si vivre là revenait seulement à faire face car les hommes n'auraient pas d'autre chance, pas d'autre terre, jamais.

Muraille liquide, le fleuve organise toujours une frontière au sein de la ville, fixe plus que jamais cet « autre côté de l'eau » qui excite ou rebute. Si limoneux, si épais le long des berges que les enfants qui s'y baignent entre deux nasses ne voient pas leurs mains sous la surface, et encore moins leurs pieds disparus dans la vase rouge où filent de fins serpents noirs. Mais il est maintenant un espace de vie à part entière, on y travaille, on y circule, on y puise sa subsistance. Des centaines d'embarcations y croisent à présent chaque jour. Les bacs se multiplient qui traversent ou descendent vers la Baie, des gabares commercent, transportent, l'été de simples radeaux poussés à la hampe traficotent, l'hiver de petits navires de fret à vapeur se frayent un passage dans les glaces grisâtres, des canots y pêchent – et, quand les saumons remontent au moment de la ponte, les barques apparaissent, soudain à touche-touche, et ça gueule dans tous les coins, ça hurle et ça rigole, car putain, les poissons giclent de la surface, c'est la pêche miraculeuse, et ce soir, c'est fête, festin, la panse qui éclate, l'oignon grillé et la salicorne bouillie, les patates croquantes, ce soir c'est violons, bal, le vin de la prohibition dégorgé des barriques, le téton au garde-à-vous dans le creux des corsages, les bites à pleines mains, à pleines bouches, et du sexe en veux-tu en voilà, ce soir c'est la bonne grosse pagaille – et l'on note, toujours nombreuses, filant sur les flots comme des flèches, des pirogues indiennes.

Puisque oui, maintenant, les Indiens sont là. Établis en lisière de la forêt, leurs habitations épaississant la bordure et fumant dans les branches, voilage lactescent contre le noir des bois. On se plaît à dire qu'ils sont venus à Coca aimantés par le troc sur la rivière, par l'éclat des lampadaires électriques et l'amertume des bières, qu'ils veulent lire les journaux, parler plusieurs langues et aller au cinoche, qu'ils font ce qu'ils ont à faire pour suivre la voie du progrès, qu'ils ont choisi d'évoluer. On aime se dire qu'ils ont été attirés par la ville car elle était simplement bien plus chaude que leurs bois lugubres et la moindre piaule au sol cimenté plus enviable que la terre battue de leur hutte moisie. On aime se dire que la ville était simplement désirable et que donc ils l'ont désirée – tout comme on la désire quand on a quinze ans et qu'on vit loin de tout, engoncé dans la campagne, dans un pauvre bled où le clocher sonne à heure fixe, englué dans ces paysages mornes qui font crever d'ennui, où l'on se couche avec les poules parce qu'il n'y a que ça à foutre alors que ce que l'on voudrait, c'est se faire péter les tympans et briller sur la piste, ou du moins la regarder tout son saoul la nuit durant. On imagine plus rarement qu'ils sont des réfugiés et qu'à l'inverse c'est la peur, la violence et la faim qui les ont poussés là, agglutinés, énervés et perdus.

En vérité, le statu quo n'avait que trop duré et les premiers bûcherons avaient fini par prendre pied dans la forêt. Eux-mêmes étaient des nouveaux venus à Coca, des gars de l'intérieur, du Montana et du Nebraska mais aussi des Européens, des colosses aux cheveux de lin, des Slovaques, des Allemands, des Polonais, ils avaient les bras courts et noueux, le ventre vide, ils connaissaient déjà le travail et opéraient les coupes pour le compte d'un patron du centre-ville. On sait qu'ils procédèrent d'abord en douceur, choisissant les fûts les plus jeunes, espaçant les coupes, deux gars au travail tandis que trois ou quatre autres faisaient le guet, puis ils halaient le tronc ensemble, l'un derrière l'autre, défrichant sur leur passage de minces couloirs dans les bois, comme des veines qu'ils réempruntaient la fois suivante pour recommencer leur travail, tout cela afin de ne pas laisser de traces, afin de ne pas casser le pacte implicite qui réglait depuis si longtemps la vie du territoire : ils braconnaient les terres indiennes en silence. Mais peu et peu, enhardis, ils rétrécirent l'espace entre les fûts, se mirent eux aussi à poser des pièges, et parfois même s'approchèrent si près des villages qu'ils confondirent l'élevage domestique avec le gibier qu'ils poursuivaient et s'en emparaient sans vergogne. Puis ils accélérèrent le mouvement tout autant que leur emprise sur la forêt, firent monter d'un cran la pression sur les tribus : il y eut des campements incendiés afin de gagner du terrain, des bêtes empoisonnées à l'acide sulfurique, des filles malmenées – une fillette indienne de sept ans violée et étranglée fut retrouvée flottant sur le fleuve, le corps gonflé comme une outre. Toujours pas de routes mais des sillons forestiers qui en quelques années devinrent un maillage de sentiers où des véhicules entraient charger les fûts. Alors les Indiens prirent peur et si certains s'enfoncèrent plus avant dans la forêt immense, suivant le gibier, leur nourriture, d'autres, désespérés, marchèrent jusqu'à Coca. On s'étonna de les voir débouler de la sorte et même, on fut déçu, c'était donc ça, les Indiens ? C'étaient donc ça les hommes qui avaient nommé le territoire, terrorisés les anciens, c'étaient donc ça les nobles guerriers qui avançaient avec Dieu dans le dos et la plaine à leurs pieds ? Emplumés, le carquois plein de flèches, le regard fier et le corps agile filant à la course dans les forêts profondes, ils fascinaient et faisaient peur – image d'Épinal bien pratique pour désigner un ennemi digne du courage de celui qui le chasse, fantasme sexuel de femmes bien mises, modèle esthétique pour tous les nostalgiques du Bon sauvage qui ne manqueraient pas de la ramener dans leurs colloques –, empâtés, reclus dans les vapeurs d'alcool à brûler, chiquant du tabac pourri du matin au soir et arnaqués par des gosses – dents d'ours contre piécettes –, c'était de la daube, on s'en foutait.

Une deuxième vague d'immigration a lieu dans les années cinquante. Bien qu'isolée, Coca attire des populations nouvelles qu'il faut loger, familles refoulées des côtes où la vie est devenue trop chère, où le travail manque, familles modestes et travailleuses éprises de pavillons et de nature, pauvres qui cherchent à se refaire, rêveurs paumés en proie au mythe de l'Ouest, ce mythe récalcitrant qui leur bouffe la tête. On spécule sur la terre pour lotir, on prend sur la zone de pâture du bétail, on gagne sur les champs, on remise peu à peu les tracteurs pour développer les services, les pick-up et les Ford remplacent rapidement les chariots – il se produit alors de belles arnaques immobilières. On ouvre quelques routes rapidement pourvues de motels, frangées de restaurants à viande bon marché, de bowlings et de supermarchés, d'entrepôts. Des enseignes lumineuses dessinent bientôt dans la nuit des pourtours de filles en porte-jarretelles rose, un Stetson sur la tête, une chope de bière à la main. Puisque, chose étrange, plus la ville se modernise et plus on mise sur les clichés du passé pour appâter le chaland – autrement dit, moins il y a de chevaux et plus il y

189

a de rodéos, et encore, dans des corrals ripolinés, hérissés de publicités géantes, et alors on paye son ticket. Les pionniers historiques optent pour l'entre soi, se replient par réflexe, et bouclent une aristocratie violente dont l'assise financière repose sur les grands domaines ou ce qu'il en reste, ils conservent la police, la justice, les banques, et les plus intuitifs prennent soin de s'accoupler aux affairistes peu scrupuleux qui s'agitent dans la place. La violence elle aussi change de visage. Les rixes brutales, les règlements de comptes et la vendetta ordinaire virent petite délinquance, trafic de drogue, maquignonnage de filles et crimes sexuels. Virent rackets, expulsion, extorsion et usure, virent intimidation afin de se payer sur la bête.

Fin du millénaire, Coca s'ennuie, archiprovince et confinée. Définitivement insulaire. La jeunesse qui s'y morfond lui crache à la gueule. Le trou du cul du monde. La ville s'est quand même vertica-lisée en quelques buildings. On dit aussi que c'est une cité moderne. Blanche mairie à colonnades, blanc tribunal à coupole, blanche chambre de commerce. Un décor de série américaine où glis-sent de lourdes berlines aux vitres fumées. On se demande où sont les gens. Climatisation partout et grandes barres d'arrosage automatique sur des parterres de gazon absolument tondus, d'un vert criard. Indifférence au monde, exacerbation des puissances familiales, méfiance de l'étranger, pros-périté rentrée, tristesse des femmes à l'élégance prélevée direct dans les pages des grands magazines de mode imprimés à Paris, New York, Milan – copiée à ce point ça fend le cœur, vraiment, ça fait mal de voir ça, aucun écart, aucun retard, le dernier rouge sur leurs lèvres sèches, le bon soutif, la bonne culotte –, on y étouffe.

Heureusement il y a l'eau. Le mouvement de l'eau. La lumière de l'eau. Le fleuve épais, large, fécond. Le fleuve gelé patinoire qui craque de partout quand vient la débâcle, s'éveille animal et secoue ses écailles de glace, tellement vivant soudain contre la ville lasse. Heureusement qu'il y a cette liberté. Mais sur l'autre rive, le quartier d'Edgefront n'est toujours qu'une bordure – bordure de ville, bordure de forêt, bordure de fleuve, trois fois marginale, triplement passionnante –, lanière densément peuplée que desservent le vieux Golden Bridge et la cohorte des bacs où s'entassent ceux que l'on reflue en marge des plaisirs de la ville, eux et leur moto, leur poussette, leur voiture, eux qui vivent dans les bidonvilles adossés contre la forêt. Le quartier n'intéresse pas. Il y a bien des entrepôts, des docks portuaires, un terrain de foot dépourvu de tribune, un supermarché, un complexe scolaire. Mais personne n'y met un kopeck. Des associations de bénévoles y montent des dispensaires dans des Algeco qui fuitent aux premières pluies, entretiennent l'église, soignent le cimetière. C'est tout, et l'on se dit que ça suffit comme ça. C'est le pays de la bricole et des petits trafics, des arrangements, des combines, de toutes les petites stratégies de survie qui excitent l'intelligence, le pays des petits jardins, tous potagers désordres et fertiles, le pays des hamacs bricolés dans des cabanes humides, des télés à écran plasma dernier cri et des frigos remplis de bières, celui des mobil-homes dans lesquels sommeillent des Indiens dépressifs au regard perçant, et des maisons construites à la va-vite qui ne passent pas l'hiver – les planchers gondolent, les fils électriques fondent une fois branché le chauffage d'appoint, les canalisations gèlent à même la façade. C'est le pays de l'autre côté de l'eau, c'est l'orée de la ville et la banlieue de la forêt, c'est le pays de la lisière.

Quand John Johnson, dit le Boa, fait irruption sur la scène politique municipale au début des années 2000, il crée l'événement, il est la réforme et le neuf, court-circuite les élites, supplante les héritiers locaux, et agissant par surprise, il s'octroie un avantage tactique qu'il conservera jusqu'à son élection. Lors de son ultime discours de campagne, il se présentera comme le Prince charmant appelé à réveiller la Belle au bois dormant. Celui que l'on attendait pour recommencer à vivre.

un troisième paysage

L'hiver dure, fourreau de verre. Le froid gaine la ville. Céruse les perspectives, précise les sons, détache les gestes, et le ciel prend dans tout cela une part exagérée. Sur le fleuve – décoloré albugineux comme le reste –, les hommes s'activent et le pont augmente. Auprès des énormes piles qui sont à présent comme les deux chevilles indestructibles de toute cette histoire, de longues digues de béton renforcent désormais les berges. On y décharge les métaux, acheminés par voie ferrée jusque sur la plate-forme Pontoverde puis transportés là sur des barges dotées de brise-glace.

C'est la phase deux du chantier, on bascule en hauteur, on colonise le ciel. Diderot, en grande forme, lève son verre à la cantonade lors d'un pot organisé sur l'esplanade, vœux de Nouvel An formulés in extremis le trentième jour de janvier, un vin chaud servi dans des gobelets de plastique translucide qui aussitôt ramollissent – mais on sait que son verre à lui ne contient que du Coca-Cola. Autrement dit, la voix de Diderot claque, finis les trous, les excavatrices et les explosions, terminado le fonçage et le déroctage des sols, la tête sous l'eau et les pieds dans les gouffres, les tympans secoués par la dynamite et la pression des caissons sous-marins, la vase et la fange, finie la drague – Verlaine a fait son sac trois jours avant Noël – : voici venu le temps des grues et des flèches, le temps des soudeurs, des boulonneurs, le temps des habiles. On démarre l'élévation des deux tours : la tour Coca et la tour Edgefront, deux cent trente mètres. Santé ! Des exclamations fusent sur l'esplanade, une voix se précise dans le brouhaha général – un timbre vaguement nasillard, sans doute celui de Buddy Loo : deux cent trente mètres, ouais, genre l'Empire State Building quoi, assertion corrigée dans la foulée par Summer Diamantis, l'Empire il est plus haut, nous ce sera plutôt la tour Montparnasse, et à peine a-t-elle fini sa phrase que la voix de Sanche bruite à son oreille, Diamantis, il n'y en a pas un ici qui connaisse la tour Montparnasse et sans lui répondre, elle migre vers la marmite.

Les ouvriers boivent, piétinent et commentent leur verre à la main, va falloir grimper là-haut, va falloir y aller, mixte d'impatience et d'angoisse que l'alcool débride. Sanche Alphonse Cameron mange un sourire, bras croisés sur le torse, l'air de rien : son heure est venue, il le sait. Quatre mois affectés à la direction de la maintenance des véhicules lui ont suffi, il va prendre de l'altitude. Les tours Coca et Edgefront seront identiques, chacune constituée de deux immenses piliers d'acier espacés de vingt-sept mètres, lesquels seront solidement amarrés par des entretoisements, puis innervés l'un à l'autre grâce à des montants de traverse, sorte de passerelles qui serviront aussi de plateforme où hisser hommes et matériels. Les piliers, eux, seront composés de caissons d'acier préfabriqués en atelier, soudés puis boulonnés les uns sur les autres sur toute la hauteur – il est question d'une cadence de vingt-cinq caissons par poste et par jour de travail, les gars sont prévenus. Chaque tour ainsi rigidifiée montera pied à pied, et plus elle s'élèvera, plus y coulisseront tout un ensemble de cordes, poulies, treuils, palans, et la grue évoluera elle aussi, se dépliant encore à mesure que s'accomplira le travail. Celle de Sanche travaillera à la construction de la tour Edgefront.

Il dribble la foule jusqu'au buffet, s'attarde au-dessus de la marmite où le liquide bouillonne robe d'évêque au fumet d'alcool, de poivre et de cannelle, de zestes d'orange en flottaison, se ressert : il aime ce vin qui lui râpe la langue, exactement comme cette ville lui râpe la peau depuis le premier jour. Puisque concernant la promesse de grande vie, Coca faisait mieux que de réaliser ses attentes : elle le réinventait. En septembre, il y était venu conducteur de grue modèle, fils unique aimant, fiancé attentif, mais depuis, il avait le sentiment de se défaire chaque jour un peu plus de sa belle peau lisse, de sa peau régulière : elle séchait, s'écaillait, tombait en lambeaux, et il s'en débarrassait avec une joie raide, shootant dans les copeaux, dans les rognures. Tout se passait comme si la ville, agissant sur sa peau comme le nitrate d'argent sur le papier photographique, en révélait les stigmates du désir et ceux de l'ambition, le goût du jeu, la volonté de puissance, et maintenant il jouissait de sentir qu'une autre peau se formait sous l'ancienne, une autre peau qu'il ne connaissait pas mais qui était celle de la vraie vie, cela ne faisait pas de doute, et quand il observait dans le miroir son corps léopard, il se trouvait beau, oui, et se disait simplement que le moment était venu de laisser vivre ce qui était en lui.

Enfouie dans la multitude, Katherine Thoreau se tient pour l'heure assez loin de Diderot qui vérifie sa présence par de brefs coups d'œil latéraux – ils s'attendent. La nuit tombe, la foule se dissémine, les hommes jettent maintenant leurs gobelets dans de grosses poubelles et s'éloignent vers les vestiaires; l'alcool les a réchauffés mais c'est de prime qu'ils parlent en ouvrant leurs casiers, cette prime de noël qu'ils n'ont pas encore touchée, faudrait voir à pas nous amadouer avec de la vinasse, on va régler ça. Tréteaux, réchaud et caisses de vin, on remballe, on vide, on jette, et Mo Yun, stupéfait de ces gestes, commence à tourner auprès de la marmite, il y a là encore de quoi remplir sa gourde et c'est ce qu'il se dépêche de faire, puis entreprend de repêcher, un à un, les zestes d'orange en surface, et les fourre ensuite dans une feuille de papier journal, cornet qu'il empoche ravi de l'aubaine, puis s'éloigne, et c'est à ce moment précis que Diderot distingue la chevelure de Katherine qui se déplace vers les baraquements des ouvriers, se dit qu'elle part et qu'il va la manquer, bazarde lui aussi son verre dans les dépotoirs, et mains dans les poches se lance vers elle – au fond, je ne l'ai jamais vraiment remerciée, c'est ce qu'il se dit pour se mettre en branle – et l'intercepte, presque solennel, ah Thoreau, une chose, je vous remercie, et Katherine qui l'avait perçu masse en mouvement slalomant entre les derniers groupes présents sur l'esplanade, a ralenti d'instinct sa trajectoire pour qu'ils se croisent – chorégraphie de la collision, c'est vieux comme les chemins et tout à fait magique – et s'immobilise, écarquille ses yeux embrumés d'alcool : merci ? merci de quoi ? Elle a trop bu, Diderot le voit tout de suite, son visage est chaviré, il poursuit droit au but, merci pour l'autre fois, la bagarre, vous savez bien. Elle pose sur lui des yeux nus, cinglent les iris transparentes sous le renflement des paupières, oh, c'est loin tout ça, elle fait la moue, c'est derrière nous, elle vacille sur ses jambes, se touche la tempe, il faut que je mange quelque chose, j'ai bu, il faut que je mange, et Diderot s'empare de cette occasion – miracle de l'opportunité – pour lui dire simplement, attendez-moi, on y va.

Plus tard, Thoreau et Diderot sont assis dans un snack ordinaire, éblouis et sidérés d'en être là et que tout ait été si facile bien qu'ils aient dû opérer plusieurs contournements pour s'esquiver en douce,

et qu'à peine installés Katherine se soit levée de
table pour aller vomir dans la cuvette, infecte, du
cabinet – et plongeant la tête dans le trou, retenant
ses cheveux en queue-de-cheval sur sa nuque, elle
avait encore envie de rire, je suis bourrée, c'est
n'importe quoi – puis qu'elle ait copieusement
aspergé ses vêtements en se rinçant la bouche sous
le robinet. La salle est clairsemée, des individus
qui traînent, deux flics qui opèrent une halte dans
leur patrouille, un homme à très longue barbe qui
monologue. Mange vite un truc – le tutoiement
subit accélère la cadence –, Diderot appelle la
serveuse et Katherine vérifie l'odeur de son haleine
au creux de sa paume. Ça va ? Il l'observe en
souriant et Katherine relève la tête, super, et alors,
comme si elle n'en pouvait plus d'attendre, elle se
dévêt de sa parka moche, et pour ôter son pull
croise et décroise les bras, de bas en haut, un geste
large, son visage disparaît fugacement dans l'enco-
lure de laine, puis elle ouvre les premiers boutons
de sa chemise sous les yeux de Diderot qui ratis-
sent, imperturbables, enfin secoue doucement la
tête pour que ses cheveux se replacent – une
moiteur embue sa lèvre supérieure et ses pommettes ont rougi, ce geste qu'elle vient d'avoir donne
à penser qu'elle a chaud, mais non – et dans un
élan d'une frontalité inouïe, annonce je te préviens
c'est tout ce que j'ai à proposer quand Diderot
vaguement distancé se mange l'intérieur des joues,
puis vient se placer à son tour, très calme lui aussi,
direct, c'est déjà beaucoup, et Katherine, d'une
voix blanche, c'est ce que je pense aussi.

À minuit, au vrombissement de la sirène qui marque la fin de la deuxième tranche horaire, les hommes sortent de la plate-forme Pontoverde en titubant, la peau tendue, les yeux brûlants sous les paupières qui papillotent. Si la plupart d'entre eux gagnent alors leur piaule, quelques autres s'acheminent vers le centre de Coca, zone des jeux et des plaisirs. Les célibataires du chantier prisent ce rythme qui pourtant épuise l'organisme et perturbe le système nerveux – se lèvent vers quatorze heures, travaillent de seize heures à minuit, s'éclatent jusqu'à l'aube – mais leur livre les night-clubs aux heures chaudes. Ils aiment la nuit sur le chantier, la nuit qui les encapsule, les enclôt sur des sites illuminés – les ampoules en multitude éclairant l'obscurité d'une lumière de fête, les phares des véhicules se signalant les uns aux autres par des jeux codés, les cabines des conducteurs allumées comme des alcôves –, et outre leur communauté, leur solidarité et leur force : ils y sont entre eux, frères d'armes. Aussi ne titubent-ils pas longtemps mais s'excitent, abrutis et impatients d'aller draguer des filles offertes, d'aller boire et jouer, impatients de retrouver, après la dureté et la tension du travail, un peu de circulation facile, un peu de fluidité douce. Une fois dehors, ils se mettent en marche en groupe dans la pénombre et avancent d'un bon pas jusqu'aux navettes qui les conduiront là-bas, ils grimpent à l'intérieur, déjà se bousculent, c'est une horde de gamins qui plaisantent et chahutent, une bande de collégiens électriques.

Soren Cry, avec son air de toujours raser les murs, va généralement s'asseoir au fond du véhicule, solitaire, et appuie sa tête contre la vitre, son regard vagabonde alors dans l'obscurité, il aime ces trajets comme des sas de décompression, des tunnels de flottement où il est pris en charge, transporté, où il peut enfin relâcher son attention. Il n'a pas vu le type qui s'est assis à ses côtés, lui donne quelques petits coups sur l'épaule afin qu'il se retourne, et lui tend une main solide tout en se présentant, Alex. Soren lui laisse sa main de mauvaise grâce et détourne de nouveau sa tête vers la vitre mais l'autre de nouveau frappe contre son épaule, trois petits coups secs tap tap tap, moi je sais, je sais qui tu es, je t'ai connu à Anchorage. Soren sursaute – nul ne peut le voir mais je sais que son cœur soubresaute comme s'il suffoquait puis redémarre en trombe – il répond lentement non, mec, tu dois te tromper, je n'ai jamais été à Anchorage, je viens d'Ashland Kentucky, mais le type se serre soudain contre lui jusqu'à toucher son épaule de la sienne et baisse la voix, on va pas perdre notre temps, Soren Cry, on va pas se raconter de conneries, d'ac ? Puis devant l'autre qui manque maintenant de dégueuler de terreur, il déroule à toute vitesse d'une voix faussement décontractée tu as eu un problème à Anchorage, Soren, une histoire de fille et d'ours, un truc bien dégueu – Soren s'est levé catapulté droit sur ses jambes comme sur un ressort, lâche-moi mec, jamais été à Anchorage, moi je suis d'Ashland, tu dois confondre, mais l'autre se lève illico pour le rasseoir d'une paume brutale plaquée sur l'épaule, écoute-moi bien encore un avertisse-ment et tu pourrais te retrouver chez les cops, y seront contents de mettre la main sur celui qui assassine à l'ours, crois-moi, tout le monde a été bien secoué là-bas, tu m'écoutes, eh tu m'écou-tes ? Soren baisse la tête, le revers de bonnet noir couvre ses sourcils et ses globes vibrent dans l'obscurité, étrangement liquides, ok, le type vient coller violemment sa joue contre la sienne comme pour une diagonale de tango et lui souffle au visage une haleine de chewing-gum à la nico-tine, quand on sera downtown on va descendre tous les deux ensemble, mais tu ne vas pas aller faire mumuse tout de suite, on va parler, hein, j'ai une mission pour toi, un truc que tu ne peux pas refuser, sans quoi boum – il a posé le majeur et l'index joints en crosse de flingue contre la tempe de Soren, a soufflé dessus tel le profes-sionnel après l'exécution, propre, du contrat – et celui-ci s'est raidi à sa place, acculé –, d'ailleurs, acculé c'est ce qu'il est. Quand l'autre s'écarte enfin de lui pour plaisanter l'air de rien avec les gars assis sur les sièges devant, Soren détourne la tête contre la paroi vitrée : de microscopiques îlots de lumière et de bruit – enseignes électriques, fenêtres jaune d'or gorgées de la chaleur des cuisines, braises tabagiques dans les cendriers de bagnoles, halo bleuté des téléviseurs, chiens qui clabaudent, joggeurs solitaires qui soufflent et frappent le bitume en cadence, vélos qui zippent la nuit – perforent l'obscurité urbaine, quartiers d'habitations qui s'étirent, où ça s'étreint, où ça rêve, tout ça n'est pas pour lui qui ne trouvera jamais de repos semble-t-il, jamais, jamais. Soren connaît la route, encore quelques minutes avant d'arriver sur la poisse flambeuse des trottoirs, dans le ventre orange de la cité, il est vidé, et tandis que les faubourgs filent à la fenêtre, son passé se dévide comme un gros rouleau, également noir et ombreux, et, en quelques éclats linéaires, le voici de retour à Anchorage.

Dès l'aéroport, il avait frémi, tendu à bloc par la fatigue du voyage et le spectacle des dépouilles exposées dans les halls. Une magnifique collection de spécimens naturalisés des faunes terrestre et aquatique de l'Alaska, des bêtes qu'il avait pris le temps de regarder, impressionné par le miroitement de leurs pupilles – elles avaient un regard – et la luisance des dents humectées de vernis – elles avaient faim –, parmi quoi, un orignal aux bois plats, aux pieds palmés, aux yeux doux, l'étrange bestiole amphibie vaguement préhistorique, solitaire et indépendante, qui traverse les larges fleuves et broute la tête sous l'eau, un mouflon blanc aux grosses cornes ambrées recourbées en arceaux comme la coiffure à rouleaux de Mme Bovary, et enfin un ours brun dressé sur ses pattes, colossal – trois mètres de hauteur pour un millier de livres au moins –, Soren est fasciné par la puissance et la violence – deux noms qui lui sont étrangement synonymes, il les confond allégrement depuis l'enfance –, qui subsistent dans cette carcasse velue ainsi mise en scène dans la zone de transit. Un beau comité d'accueil. De quoi faire des cauchemars – et par la suite, il en ferait, la bête s'animerait sur le dallage.

Après quoi, il avait fallu construire le bateau, une coque d'acier de trente mètres à charpente métallique, que Soren et trois autres types avaient montée pendant quelques mois – le propriétaire, un riche restaurateur d'Anchorage, se lance dans une affaire de chasse, et veut transporter chasseurs et pêcheurs par trentaines vers les lodges qu'il possède à Kodiak, Seldovia, ou Eagle River. C'est sur ce chantier que Soren croise son premier ours, un jeune mâle affamé qui pulvérise les canettes de bière bues à la pause et fuit à son approche. Quelques jours plus tard, quand il le voit réapparaître, Soren décide désormais de préparer pour lui un fagot de baies, racines, et poisson séché, il le place à l'arrière du hangar, sur le passage de l'animal – il agit en cachette : apprivoiser un ours sur son lieu de travail est interdit. Dix jours plus tard, quand il revient voir derrière le hangar, il ne reste rien du fagot mais des empreintes de pattes sont bien visibles dans la neige, Soren sourit, tressaille de joie. Quelques jours plus tard, il l'entend encore grogner derrière la palissade, se précipite à temps pour le voir finir de dévorer l'énorme fagot qu'il a introduit sur le chantier avec tant de précautions, l'apercevant l'ours se fige, ils se regardent, Soren remarque la tache rousse en croissant au-dessus de l'œil, cela dure deux ou trois secondes, pas plus, puis l'animal disparaît derrière un mur de bidons.

Une fois la coque finie, Soren se recase dans une usine où il se gèle toute la journée debout devant des bacs de poissons à écailler avant conditionnement. Il poursuit cependant ses approvisionnements, une à deux fois par mois, jusqu'au soir où il retrouve le fagot intact : l'ours ne vient plus. Cet abandon l'atteint durement : Soren traîne, il se saoule les week-ends, il se sent sombrer. Quand on lui parle de cette place de chauffeur de bus qui se libère, il saisit l'aubaine, dans un geste d'ultime confiance il commence à explorer la nature, et rencontre cette fille qui va le rendre dingue.

Il a beau ne pas croire à cette histoire entre eux – la fille est universitaire, elle a voyagé et parle le français –, il s'y laisse prendre car ils ont un métabolisme commun, sont deux solitaires indépendants et matinaux, deux individus mutiques et disgracieux que fascine la sauvagerie. Au début, la fille ne plaît pas beaucoup à Soren physiquement, c'est une forte personne aux membres courts, au visage fermé, aux cheveux ternes, mais il aime bien son côté rogue et les gros seins sous la doudoune marine, des seins dont elle le laisse jouir, des seins qu'il malaxe, suçote, tète ; en outre, il reconnaît qu'elle n'est pas collante, ne lui pose pas de questions, et que son appétit de sexe lui convient. Quand elle débarque chez lui pour une histoire de panne de chauffage dans son studio, il lui ouvre gentiment, lui spécifie en souriant je te préviens c'est temporaire mais il est tellement transfiguré qu'une fille frappe à sa porte que c'est comme s'il lui suggérait de rester là pour toujours, alors la fille fait son entrée, royale et désirée, et bientôt voilà que Soren attend son retour chaque soir, organise les virées de nuit dans la nature, voilà qu'il la conduit, la guide et lui confectionne des quiches. La fin de l'étude qu'elle mène sur les loups – la communication intrameute : décryptage des cris et hurlements – signe celle de leur espèce de lune de miel. La fille retourne à l'université et soudain le prend de haut, ne se donne pas la peine de répondre aux questions qu'il lui pose, s'ennuie ouvertement, bientôt ramène des types chez lui l'après-midi, des étudiants un peu bourrins mais friqués qui descendent ses bières et son ballon d'eau chaude. Étrangement Soren encaisse, et ne dit rien, jouant sur la durée, puis la fille l'humiliant de plus en plus souvent, refusant désormais de coucher avec lui, refusant qu'il lui touche les seins, ricanant de son orthographe – t'es dyslexique ou quoi, faut consulter mon vieux, je ne serai pas toujours là – ou de son boulot, sortant chaque nuit jambes nues sous la résille noire des collants neufs, seins extravertis, et rentrant bourrée à l'aube pour jeter ses préservatifs usagés dans la poubelle commune, il lui demande enfin de partir – il a peur de la frapper maintenant, il se connaît, faut qu'elle dégage. Mais la fille se rebiffe, déclare attendre un mandat de son père, Soren fou de rage répond froidement rien à foutre ce soir tu es partie mais ce soir-là, c'est n'importe quoi, ils recouchent ensemble, et c'est d'une telle intensité pour Soren qu'il ne sait plus ce qu'il veut. Cette fois encore, la fille a beaucoup crié son plaisir, elle est luisante de sueur et ses mèches de cheveux sont collées contre ses tempes, elle le regarde les yeux brillants, longuement, sa bouche est cruelle, dédaigneuse, Soren, il est temps que je te précise que je ne suis pas une grosse chienne, pas une jument, pas une chèvre : je suis une femme, un être humain, tu t'en souviendras ? Puis elle se tourne vers le mur en soupirant, étouffe un sale petit rire et, cambrée, lui présente de nouveau son cul auquel il retourne. C'est cette même nuit que réapparaît l'ours du chantier, fourrageant dans les buissons arbustifs dans l'arrière-cour de son immeuble. Soren est déboussolé, la fille dort sur le ventre. Ne sachant comment donner un exutoire à la violence sexuelle qui le taraude, et se sentant perdre pied, il se rhabille et descend les poubelles, ses clés à la main. Dans la courette, l'animal est là qui resplendit lustré brou de noix sous une lune énorme, il lève la tête et regarde Soren de ses

208

petits yeux, ils se reconnaissent, l'ours a bien cet éclat de rousseur autour de l'œil, c'est lui, Soren hallucine, émerveillé, appelle doucement l'animal qui vient, se déplace lentement à quatre pattes, chaloupant de tout son corps énorme maintenant, et chaud, c'est magique, Soren remonte l'escalier à reculons, marche à marche, présentant le sac-poubelle à l'ours qui avance lentement, sans autre bruit que celui de sa masse mobile dans l'escalier glacial, son souffle, le frottement de sa fourrure contre les murs au virage, puis une fois arrivé sur le palier, Soren ouvre sa porte à toute allure, dépose le sac à l'intérieur, à deux mètres environs du seuil, laisse la porte ouverte et file sur le palier se poster plus haut dans l'escalier : à peine l'ours est-il entré à l'intérieur de l'appartement qu'il donne un tour de clé dans la serrure d'une main fiévreuse, referme la porte sur l'ours et la fille.

Les hommes viennent de descendre de la navette. Alex s'est aussitôt placé derrière Soren qui renâcle à marcher, aux abois, et le pousse en avant par bourrades successives dans l'épaule, ils s'enfoncent dans un quartier scintillant et huileux suivant d'étroites ruelles, entrent enfin dans un bar lambda où le Français les attend. Asseyez-vous. Sous les ampoules grenadine qui éclairent l'établissement, Soren découvre leurs visages, celui d'Alex l'intrigue, il le reconnaît vaguement. Comme si la conversation amorcée n'était qu'un interlude de sociabilité entre gens de bonne compagnie, le Français les pointe tous les deux d'un index tournoyant, qu'est-ce que vous prendrez ? Après quoi les minutes qui s'ensuivent sont exactement comme la main qui serre la gorge. Le Français renard argenté la pomme proéminente déclare, tu vas recevoir un paquet, à l'heure de la relève de minuit, c'est Alex qui te l'apporte attention, il n'entre pas dans le chantier, tu le prends dehors, puis tu rentres le stocker dans ton casier après quoi tu as encore le temps d'attraper le car et d'aller boire ton coup avec les gars. C'est tout. Soren regarde ses mains qui tremblent sur la table : et après ? Après tu attends les instructions. Soren ne cille pas, il baisse encore la tête, son œil se réfléchit dans sa bière mordorée, il souffle : y a quoi dans le paquet ? À cet instant, Alex revient le coller de l'épaule et lui lèche à moitié l'oreille en lui murmurant ta gueule, tandis que le Français lui relève le menton d'un coup de chevalière, écoute bien, tu poses aucune question, tu attends les instructions, tout va bien se passer. Mais Soren insiste, des larmes aux yeux comme de la glue : et si je refuse ? Si tu refuses ? Si tu refuses on pourrait bien nous aussi trouver un ours et t'enfermer avec lui.

Ralph Waldo est de passage à Coca pour vingt-quatre heures, c'est ce qu'il déclare à Diderot à la mi-janvier au téléphone, d'une voix douce et internationale. Le Boa parti à Dubaï, Diderot et lui se verront seuls. Rancard au bar du Four Seasons, dernier palace ouvert à Coca et spot en vue, établi dans l'ancienne prison, à l'instar de celui d'Istanbul : les cellules des Indiens réfractaires et des pires bandits de la zone y ont été réformées en suites de luxe à deux mille dol la nuit après grattage des murs effaçant pour toujours les graffitis de révolte, les insultes racistes et menaces proférées sur les juges – à ma sortie, tu vas bouffer tes couilles –, après ponçage des caricatures reléguant dans la nuit les têtes de ces mêmes juges aux joues colonisées par des favoris broussailleux, pelage de la corruption ou de l'intransigeance ; les parloirs y sont convertis en salles de séminaire équipées pour tout genre de Conference Call, les ateliers en Business Center, le réfectoire en Lounge Bar jazzy et la cour de la

211

taule en jardin tropical avec piscine de mosaïque
et parterre d'immarcescibles roses.

Diderot est en retard, une heure au moins, mais
Waldo lui sourit, cinquante ans, haut et mince,
pas un pet de bide, mains splendides – poignets
fins mais largeur singulière de la paume et du
pouce, fuselage des doigts musclés – posées sur
les hanches, coudes rejetés en arrière écartant les
pans de sa veste, crâne boule de billard auréolé
d'une gloire mordante car juvénile : on raconte
qu'il a gagné le concours du pont de Coca en
dessinant le pont devant le jury, un crayon gomme
à la main, un double décimètre en poche, je n'ai
besoin de rien d'autre avait-il dit pour commencer, présentant l'une après l'autre ses maigres
fournitures comme le magicien fait voir à l'assistance le fond de son chapeau avant d'y faire
surgir un vol de tourterelles, je n'ai besoin que
d'une idée et d'une *strong philosophy*. Puis l'oral de
présentation, épreuve redoutée, avait muté *master
class*, Ralph Waldo amorçant son intervention
par des murmures chuchotés face à l'auditoire
comme s'il réfléchissait à voix haute : comment
ça s'invente un pont ? Comment surgit sa forme ?
Se déduit-elle du contexte ou s'affirme-t-elle selon
des besoins ? Dès lors il s'était lancé dans une
démonstration virtuose à l'image de ses mains qui
soudain habitaient tout l'espace et de sa voix qui
commentait chaque trait sur le tableau, s'autorisant tout de même des tâtonnements, des hési-
tations pour mieux arracher les feuilles blanches
du grand tableau, pantomime du génie violent

et habité, et bien que faux, voire grossièrement hypocrite, ce *work in progress* eut quelque chose de culotté qui subjugua les juges : ils couronnèrent cette chorégraphie, aussi huilée qu'un numéro des Bluebell Girls.

Lumière whiskey et moquette mousseuse, filles lianes chaloupant entre les tables, obscurité dorée, les hommes commencent à boire. D'emblée, il est question du pont : comment va le chantier, Georges ? L'homme scrute Diderot derrière ses fines lunettes rondes en polycarbonate, il est vêtu de noir – polo et costume de coupe italienne –, chaussé de baskets en cuir à semelles de caoutchouc ouvragées dernier cri. Diderot ôte son blouson, marmonne on avance bien, on a dragué un demi-million de mètres cubes de vase et de sédiments, tout un merdier qu'on a redescendu dans l'océan, pas joli joli, je suis pas sûr qu'on soit dans les clous, faudrait pas trop que les écolos nous tombent dessus, ensuite il a fallu dérocter un chenal, aplanir les hauts-fonds du fleuve, on a préparé le lit où coucher la bestiole, la phase Anchorage se termine, on monte les tours, on est dans les temps.

Ralph Waldo sourit. Sa question suscitait une impression générale, une émotion, de l'intériorité, et non un rapport technique. S'ensuit un dialogue de sourds : quand Ralph Waldo extrapole la question du pont, touche l'esthétique, l'expérience intime de la traversée, et celle de la Nature – il est l'homme qui revient de loin, celui invente la forme –, Diderot la circonscrit, la traite par la technique, la chiffre, la dimensionne et finalement donne de la traversée sa version progressive, rectiligne, ce putain de pont, pareil à toutes sortes d'ouvrages, n'est pas autre chose que le calibrage d'une forme parfaitement connue, et en parler ce n'est jamais qu'isoler un problème puis le décomposer, le décomposer, le décomposer toujours, une fois de plus, une fois encore, et c'est ainsi sériée que s'élabore toute réponse adéquate, voilà sa méthode, sa façon de penser.

Ralph Waldo *vs* Georges Diderot. Deux hommes face à face, enfoncés dans les fauteuils, l'alcool leur monte à la tête, le bar ferme, dernière consommation, ils récidivent cul sec, et voilà qu'ils sortent, et s'étreignent sous la pluie, Ralph Waldo chancelle ses lunettes à la main, mon ambition est toujours d'intervenir le moins possible, il crie le bras tendu vers ce qu'il croit être la direction du pont, il s'agit toujours de trouver la forme la plus légère, la plus pure, la plus moderne, une interprétation du paysage – bientôt ses lunettes tombent sur le trottoir tandis qu'il trébuche dans le caniveau –, une interprétation du paysage voilà ce que je donne, il ruisselle et s'époumone, heureux en cet instant, et Diderot visualisant intérieurement la mécanique gigantesque du chantier, le déploiement des forces, la dépense physique des hommes, hagards et sales en fin de journée, le bruit assourdissant des machines, les liasses de billets comptés et recomptés un à un par des doigts crasseux avant de se plier en petits carrés au fond de portefeuilles de cuir, les accidents qui menacent et ceux qui arrivent, les faces fermées des Indiens et les gestes violents des hommes de Detroit, discernant soudain Summer concentrée sur ses bétons et Sanche minuscule au pied de ses grues, embrassant tout cela avec Katherine au beau milieu au volant de son engin, se laisse submerger par l'émotion – une interprétation du paysage ! –, un rire silencieux le secoue tandis que l'architecte marche à grands pas vers le fleuve, le torse obliquant vers le sol comme s'il pénétrait une bourrasque adverse, Diderot s'accroche maintenant à la voix de Waldo qui taille le vent et déclame : un troisième paysage, pas la soudure de deux zones, Georges, un nouveau paysage ! Waldo a passé un bras sous celui de Diderot et ainsi accrochés, ils s'acheminent vers le fleuve, bourrés, pleins d'allant, avancent aimantés par les berges, la promenade plantée d'arbres, les petits bancs, les buissons, bientôt hypnotisés par le grondement des eaux, les signes curvilignes tracés en surface, les filaments bulleux – des messages à la craie illisibles sur un tableau noir – qui se désagrègent en quelques secondes.

Le pont inachevé est massif dans la nuit, une présence monstrueuse, très noire, Waldo le dévisage à voix basse, l'éclairage de nuit ne doit pas être trop fort, trop spectaculaire, Georges, je ne veux pas du sabre de flamme, de faisceaux qui sculptent, d'ampoules qui appuient, toute cette saloperie de grandiloquence, les tours ne seront

215

pas éclairées jusqu'au sommet afin qu'on puisse penser qu'elles se prolongent dans la nuit, le tablier sera un simple trait comme une ligne de fuite, et on réglera la balance entre les ombres, entre les différentes qualités d'ombre, on fera toucher les matières, le fleuve, la ville, la forêt et, pour le pont, je veux seulement que l'on sente la force dans les câbles. Diderot écoute la voix de l'architecte coulée dans la rumeur de Coca et dans celle de la forêt, et retient Waldo qui se penche dangereusement au-dessus des eaux, à force de ne rien voir, le fait pivoter en douceur afin qu'ils s'en retournent ensemble, et lui glisse à l'oreille, pour l'éclairage nocturne, pas de problème, pour ça aussi, j'ai les plans.

Il reste à Sanche quelques minutes avant que la journée démarre, avant de déchiffrer les signaux des ouvriers qui prépareront et équilibreront les charges à lever – des gestes normés consignés sur des chartes professionnelles, langue officielle du grutier apprise par cœur et silhouettes casquées dessinées sur des feuilles blanches au jour de l'examen –, puis de hisser par brassées les barres d'acier qu'il faudra disposer au centimètre près. Quelques minutes pour jouir de la situation. Sanche se tourne vers Coca, son regard passe sur la ville, s'arrête sur un carrefour où des silhouettes se pressent, se dit qu'il ferait volontiers tourner la flèche afin de s'approcher de cette tour qui frange le fleuve, trente étages bleutés aigue-marine, et peut-être toucherait-il du bout de son bras télescopique la fenêtre de cette fille qui l'avait accueilli à Coca, aboyeur déglingué et splendide au bal de la vie.

Premières heures formidables de son arrivée à Coca, la grande gigue qui hausse son nom sur une pancarte, la bagnole qui fonce vers la ville et la radio volume à fond qui balance de la pop internationale. Cette impression de vitesse folle et de lumière qui éclabousse, ce sentiment inouï que la vie s'emballe. Shakira qui chantonne, donne de la voix à l'attaque des refrains, secoue la tête, bientôt décoiffée, tape des mains contre le volant, appuyant au même instant sur la pédale d'accélérateur de sorte qu'ils se propulsent au rythme de la sono, fume des Dunhill rouges, biaise un regard sur un sms, et une fois seuls au beau milieu de la plaine, qui précise à Sanche d'une voix rugueuse, ironique, *don't worry sugar*, j'adore conduire en talons, et lui qui grimace un sourire de circonstance, un sourire de panique et d'allégresse qu'il faudra élucider, qui a la bouche sèche alors, la réverbération du soleil lui épuise les yeux si bien qu'il finit par baisser le miroir de courtoisie, se dit qu'il lui faudra acheter au plus vite un chapeau, qu'il le choisira noir, un Stetson avec un lien de cuir, se promet d'y mettre le prix, puis l'autoroute qui taille une zone désertique au sol poudré, aussi blanc qu'un lac de sel, occupé çà et là par quelque assemblement de baraques, des hyènes assoiffées – Sanche les imagine rôdant autour des puits de pétrole – et par des cactus aux bras écartés comme des Christ en gloire. Soudain l'espace ouvert béant devant lui, un scope latéral, les collines lointaines aux deux extrémités de la plaine, formes ombreuses en flottaison sur les brumes de chaleur, bleues, ensommeillées comme des dinosaures, tandis que là, juste à côté de lui, la fille est

218

une autre montagne qui règle la climatisation et surveille les vibrations de son portable, Sanche qui s'étonne de leur présence commune dans ce bolide mercurien, frissonne, se frotte les mains, sourit de nouveau de ce même sourire que l'on aime chez lui, la tête droite tenue face au pare-brise, se dit à cette seconde « voilà, je suis assis dans une Mercedes dernier modèle au côté d'une Russe aux jambes de folie, j'ai vingt-sept ans, je suis un grutier qui vient de faire quinze heures de vol pour venir sur ce chantier, mon premier pont, or je sais comme tout le monde que celui qui veut construire un pont doit faire un pacte avec le diable », et devant lui, l'autoroute est comme un entonnoir fatal où il s'engouffre tête la première avec elle.

Ils atteignent plus tard le bout de la haute plaine, l'autoroute s'achevant brutalement au bord d'un précipice au-delà duquel miroite, tapie dans la vallée, la ville de Coca – un phasme pense Sanche qui tend le cou vers la vitre du pare-brise, c'est la nuit qu'elle doit se laisser voir. En plein jour, le ciel reflète sa grammaire sereine sur les façades des tours et le paysage tout entier s'absorbe en elles quand des grues, des grues par centaines et plantées serrées augurent de sa puissance à venir. Ils s'engagent sur une voie large mais recouverte d'un bitume fissuré que ronge le chiendent ; elle sinue ensuite à flanc de plateau en virages amples creusés grossièrement dans le causse et une fois dans la vallée, s'immisce aux échangeurs et autres voies rapides, comme un cheveu blanc se glisse dans une chevelure encore vigoureuse. Plus tard, quand ils touchent le cœur de la ville, la grande main de Shakira Ourga a pour lui présenter les richesses de Coca des gestes de déférence excitée quand son visage est tendu par un rictus fébrile. Elle prend soin de ralentir devant des aquariums géants à l'intérieur desquels rutilent des bolides de luxe, regarde ! Ferrari, Mercedes, Porsche, ils sont tous là, Sanche hoche la tête avec sérieux, se penche pour les voir, siffle, et fait de la sorte grand plaisir à Shakira qui bientôt lance les clés de la Mercedes à un voiturier philippin ombreux comme un spectre devant la porte d'un restaurant au pied d'une tour miroir – sept ans qu'on peut le voir debout à cet endroit, la redingote raide et le calot galonné rejeté en arrière, sept ans qu'il a immigré à Coca, sept ans, il faut s'imaginer une telle séquence et compter sur ses doigts, visages de la femme et des enfants qui blanchissent au fond du passeport, un mandat mensuel envoyé au village et les miettes de sa paye pour une piaule sans fenêtre dans un entresol quelconque, une femme bien rarement, et des tangerines sucrées qu'il suce devant la télévision, il prononce trente mots par jour mais cent fois les mêmes.

Ils déjeunent rapidement après que Shakira a posé son portable sur la table et rappelé à l'ordre le chef de rang qui a servi la table voisine avant la leur – elle lui parle sur un ton dur, visage fermé, ongle de l'index tapotant le cadran plaqué or de sa montre suisse. Vue de face, vue de près, sa figure prend un relief que Sanche détaille le nez au ras des asperges, ça monte et ça descend, c'est une route qui déroule sa boucle noire en arrière de la table où la fille dévore son assiette, citoyenne de Coca, neuve et empierrée dans un corps irréprochable, soigné comme un outil de précision, en arrière de cette avenue où elle travaille pour la municipalité, en arrière de cette tour où elle couche avec le directeur de la puissante chambre du commerce et par ailleurs propriétaire de la Mercedes, route qui délace les gares sales et la peur d'être tuée, l'arrière des camions bâchés où elle se cognait contre d'autres comme elle, les soutes, les coffres de bagnole, les chiottes des trains, les rapines, la joie de tomber sur une canette à moitié pleine au fond d'une poubelle, sur un pull, la caillante et la crasse. Et dans son dos bombé, dans ce dos qui a déjà tant ramassé, ça gigote, ça remue, ça crie, dans son dos c'est la Russie, la guerre, c'est Youri, le petit frère, le soldat, celui qui fait campagne en Tchétchénie et qu'elle n'a pas attendu. Celui qui est parti jeune homme sans savoir, pas un foudre de guerre, non, plutôt le genre paresseux comme une couleuvre et malin comme un singe, qui est parti en janvier 2000 sans savoir, comme on se lève d'un canapé pour se délasser les jambes, et qui maintenant pénètre dans les baraques suspectes de la banlieue de Grozny en défonçant les portes à grands coups de grolle, la mitraillette tenue fermement contre la hanche et pointée à l'intérieur vers d'hypothétiques corps ennemis fondus dans les recoins obscurs, planqués sous les gravats ou recouverts de boue, et qui s'immobilise devant les habitations, et attend, écoute, guette, et au moindre bruit arrose à fond, arrose à mort, en balayant tout l'espace du canon, tac tac tac tac, arrose comme un malade, et bientôt, il ne prend même plus la peine de tendre l'oreille, même plus la peine de jeter un œil là-dedans, il défonce la porte et mitraille direct, sans attendre tellement il a peur, tellement il a vu ses potes agoniser parce que canardés par surprise dans des embuscades, la gorge ensuite tranchée à chaud sur le cadavre, tellement il est terrorisé, cassé, défoncé, tellement ceux d'en face sont mabouls, fourbes et fanatiques, tellement ils veulent sa peau, et à force, y a du déchet, y a de la bavure, ça bave même, bordel ça dégouline, du sang et des tripes, ça crie, ça pleure, les vieilles, les femmes, les enfants, à force il te fait un putain de carnage là-bas, le Youri, il passe son temps à mitrailler, c'est le kamikaze de l'escadron, il ne sait plus faire que ça, et quand il s'arrête, c'est pour se bourrer la gueule avec d'autres garçons partis comme lui sans savoir, c'est pour aller au bordel – mais bander, il ne peut plus, il y a trop de petits bruits dans la piaule, trop de souffles suspects – ou pour écrire à Shakira, sa belle frangine. Shaki, attends-moi, attends que je rentre à Moscou, on se tirera ensemble, j'aurai les poches pleines. Mais Shaki est partie sans l'attendre. Et derrière elle, Youri souffle dans son cou une haleine fraternelle, écœurant remugle de poudre et de sang chaud.

Après le repas, Shakira s'éloigne pour compo-
ser un message sur son téléphone puis fait soudain
volte-face, décide une virée sur une plage aména-
gée le long du fleuve, au nord de la ville et Sanche
se laisse faire bien que l'idée même d'une plage
lui semble farfelue maintenant – une plage ! –, cela
ne lui avait même pas traversé la tête, jusque-là
il n'avait vu de Coca qu'un assemblage de tours
disposées sur un cadastre géométrique.

En chemin, ils croisent d'autres berlines tout
aussi puissantes et longent d'autres immeubles
tout aussi éblouissants bien qu'inachevés. Shakira
résume : ici la règle est simple, si tu as de l'argent, viens, sinon, bye-bye ! – ses mains lâchent
le volant pour jouer les mots : mouvements de
clapets intérieur / extérieur, et Sanche estomaqué
contracte son fessier sur le siège car la voiture va
sa pleine vitesse sur une voie rapide qui file le
long du fleuve.

Parking à fleur d'eau, cafés neufs, terrasses,
parasols publicitaires, sono enjouée, et de la pop
toujours, des standards revisités par des claviers
électroniques. À cette heure, un soleil flambeur
vernit la surface des eaux et le sable de la plage
scintille, du sucre. Ils marchent jusqu'à la rive.
C'est le seul endroit où je me sente heureuse,
Shakira respire à pleins poumons, envoie valdinguer ses mules d'un coup de pied, avance vers
l'eau, relève son jean à mi-cuisses, pénètre le
fleuve, appelle Sanche, viens ! viens !, et Sanche
a le sentiment que les choses se précisent. Elles
se précisent d'une étrange façon puisque son

regard délaisse la fille pour se porter plus loin, sur Edgefront et la berge d'en face : des verts de toutes sortes y mélangent leurs nuances en une barrière végétale profuse et sonore poussée à hauteur d'homme, quelques toits de tôle émergent çà et là, des cabanes, des barges à moteur amarrées sous les branchages, des barques et des pontons flottants sur des pneus, et plus loin, dans la profondeur du champ, un soulèvement de montagne forestière dévore le ciel à grand bruit. Puis, de nouveau la voix de Shakira viens ! viens ! Elle lui sourit depuis la rivière et il lui rend son sourire, tout en faisant non de la tête, mains dans les poches et pieds raclant les cailloux minuscules, et par ailleurs il transpire sous sa chemise, a soif, s'essuie les commissures des lèvres. Alors la Russe sortit de l'eau et marcha droit sur Sanche à grandes enjambées, cuisses ruisselantes cheveux flottants comme des plumeaux, s'immobilisa devant lui, lui ordonna, déshabille-toi, et toisé, Sanche se frotta le torse d'une main indécise : il avait horreur de décevoir. À présent, il se demande s'il va lui falloir accomplir la gestuelle lubrique appropriée à la situation – soit, réunis dans un périmètre restreint et soumis à forte température, lui, une Russe, et de l'eau verte baignant une ville livrée bouche ouverte à un pont futur –, si l'heure était venue de, s'il était observé, si cette grande nana sortie de la taïga était un test, un leurre, il déboutonne son col, desserre sa cravate, soudain repère un type qui ratisse le sable à l'aide d'un détecteur de métaux, en avise la fille, faites attention, il va vous capturer… Shakira émet un rire de jument stupéfaite, ramasse ses sandales, Sanche s'éponge le front, et ils quittent la plage.

Avant de redémarrer la voiture, Shakira avait pris soin d'essuyer le sable collé sur ses pieds à l'aide de mouchoirs en papier glissés entre ses doigts de pied, puis froissés d'une pression sèche et jetés par la vitre, un par un, la boîte entière bientôt dilapidée. Sanche avait suivi du regard les kleenex blancs qui flottaient en l'air, voletaient doucement, déformés au moindre souffle, se redéposaient enfin au sol, maculant peu à peu tout le paysage.

La sirène, Sanche se place. Au sol, charpentiers, soudeurs et boulonneurs se tassent, débarqués des navettes fluviales. Ils ont le casque sur la tête, se tiennent prêts, les pieds lourds. Ils piétinent sans avancer. Au second appel de la sirène, ils demeurent agglomérés, leurs épaules bougent, une onde anormale, et soudain, un type sort du groupe et vient se placer à l'écart, les autres l'encerclent, il parle longuement, brandit son poing, fait « non » de la tête et il semble que les autres approuvent. Sanche appelle un ingénieur sur la plate-forme, le talkie-walkie grésille, il y a beaucoup de bruit en bas, des éclats de voix, les remous d'une colère, qu'est-ce qui se passe ? Un timbre circonspect lui répond, ça chauffe, ça chauffe, les gars n'y vont pas, la communication s'interrompt. Sanche se colle contre la vitre pour mieux voir, il règne en bas une agitation anormale, des gars qui veulent

225

avancer vers les caissons en sont empêchés par d'autres qui les empoignent, les invectivent – les faciès se marquent : bouches qui s'ouvrent en grand, sourcils circonflexes, rougeurs. L'attroupe-ment est devenu un corps secoué de spasmes, Sanche se dit que des gars vont finir à la flotte, que l'eau est gelée, ne comprend rien et décide de redescendre. Une fois à terre, ce qui le frappe est le brouhaha rageur, le tumulte. Le type qui s'était mis en exergue du rassemblement peine à obtenir le calme, c'est un homme blanc, le torse épais comme une carte à jouer, les épaules en cintre, pointues, un genre gitan, il lève un bras noueux pour faire silence, ho ho, deux rouflaquettes noires avancent comme des poignards arabes sur ses joues rasées à la lame, et quand ses lèvres fines, foncées, un trait, finissent par s'entrouvrir, elles frappent les mots, un par un : personne ne prend son poste, personne, on veut une augmen-tation du salaire journalier, tant qu'on l'a pas, on ne commence pas. Sa voix s'enroula dans le silence, bref, qui suivit, puis rejaillit, joueuse pour la première fois, on n'a pas eu de prime de Noël, eh bien on va obtenir mieux encore.

Des types forment maintenant un cordon de sécurité en travers de la plate-forme, s'enchaî-nent, les bras en anse de panier se tressant les uns les autres, puis s'alignent avec gravité. Sanche se déplace parmi les ouvriers, curieux, ouistiti descendu de sa branche à la pêche aux informa-tions, irrésistible et tête à claques, tout sourire dehors, il ne passe pas inaperçu. Finalement à force de tourner dans la foule, il tombe sur l'homme qui a parlé, l'interroge, qu'est-ce qu'il y a ? L'autre le scanne d'un œil soupçonneux, il y a qu'on veut être payés dès que l'on met un pied sur le chantier et non à partir du moment où on attaque le premier boulon, tu piges ? Sanche fait oui de la tête et l'autre poursuit, articulant comme s'il crachait à force de colère, ils décomptent de notre paye le temps qu'on met à se rendre ici, mais faut savoir qu'entre le moment où on pointe sur la plate-forme et ici, il y a entre trente parfois quarante minutes, alors tu multiplies par deux, aller et retour, et ça nous fait au moins une heure supplémentaire par jour, et encore, au bas mot : on ne se fera pas exploiter. L'homme a froid, se frotte les mains, regarde une montre d'aïeul sur son poignet tatoué d'un barbelé, faudrait quand même pas qu'on attende trop longtemps sans quoi ça va s'énerver derrière. À cet instant, un groupe d'ouvriers s'approchent, inquiets, nous on veut pas d'emmerdes, s'agirait pas qu'on perde le boulot, et l'homme aux rouflaquettes les cisaille froidement l'un après l'autre, les mandibules pulsent sous son pelage, bêêê bêêê, alors on est des moutons ? bêêê bêêê – il grimace, terrifiant de colère –, Sanche suit l'échange avec une attention fébrile, se demande comment tout cela va tourner, déjà veut y prendre part, quand soudain le type aux rouflaquettes d'un coup de menton l'apostrophe, t'es cadre ? Sanche acquiesce sans ciller, précise comme s'il s'excusait, je ne suis pas sous contrat local, l'autre le regarde narquois, conclut toi tu t'es bien démerdé, puis se détourne vers les hommes compactés et frappant le sol avec leurs pieds, certains fumant les mains en cornet au ras de la bouche comme pour se réchauffer. Sanche est planté là, épouvantablement seul.

Les ouvriers veulent s'organiser à présent, parlent de défendre leurs intérêts, les langues se délient : rythme intenable, sécurité tangente, salaire de merde. L'histoire des vingt-cinq caissons par poste et par jour de travail – soit trois caissons assemblés par heure de travail dans le bruit assourdissant, l'inconfort et le froid glacial, revient sur le tapis : les gars gueulent que les caissons ont été mal assemblés dans les ateliers de préfabrication, qu'ils doivent trop souvent avoir recours au soudage afin d'assurer la continuité des pièces métalliques, d'homogénéiser leurs caractéristiques mécaniques, leur étanchéité, et que cela ralentit la cadence – d'autant que tous ne sont pas formés au soudage moderne, une technique sophistiquée, un boulot d'orfèvre. L'homme aux rouflaquettes passe entre eux, se présente, il est charpentier, il vient de l'Ontario, et Seamus O'Shaughnessy est son nom. De temps en temps, il jette un œil sur sa montre puis finit par revenir vers Sanche, toi qu'es cadre alors, appelle la direction et dis-leur de se magner, on a froid. Sanche acquiesce, se place à l'écart – heureux d'être le messager –, appelle Diderot qui décroche, écoute, se fait préciser le nombre de gars, les causes du débrayage – on devine qu'il tord la bouche et se caresse le menton –, conclut : je viens.

L'arrivée de Diderot sur le site d'Edgefront Tower provoque un silence impressionné, mixte de réticence et de curiosité. On connaît par cœur sa silhouette, on s'écarte pour le laisser passer. Qui est porte-parole ? À ces mots le silence se leste davantage puis Seamus O'Shaughnessy sort du rang, les lèvres si crispées qu'elles ne sont plus qu'une encoche sur sa face inquiétante : moi. Les deux hommes se jaugent. Seamus reformule la revendication – toujours ce même phrasé heurté, les lèvres qui se retroussent découvrant les gencives : une augmentation des salaires d'une heure par jour de travail. Diderot observe les gars, déclare on n'y arrivera pas : une heure par jour c'est six par semaine, vingt-quatre par mois, etc., multiplié par le nombre de salaires, pas la peine de vous faire un dessin, c'est injouable. Ah ouais, comment ça injouable ? Seamus se tend, son corps n'exprime qu'un poing serré au fond d'une poche et Diderot, sec, vous n'obtiendrez jamais cela, alors Seamus de pivoter vers les autres, ok, alors on va mettre la grève au vote : si on n'est pas augmentés, on arrête de bosser. Les gars autour s'échauffent, évoluent doucement en collectif – c'est assez beau à voir –, et maintenant certains s'adressent directement à Diderot sans plus de protocole, quelques-uns le tutoient – Diderot n'a pas de superpouvoirs mais deux bras et deux jambes, un casque sur la tête et lui aussi les mains dans la merde à cet instant –, ils répètent on veut le paiement du temps de transport sur site, sans quoi on arrête, leurs voix se recouvrent et se confortent, un type renchérit, ouais, et on occupe le site. Se raniment dans les regards la courte flamme de la colère, la certitude d'une force, ouais, on reste, le pont c'est nous. Sanche est monté sur une caisse, on est entré dans un rapport de force, il frémit, excité, observe Diderot évaluer la situation, soupeser l'ampleur de la crise, sait qu'il doit formuler quelque chose au plus vite, trouver la solution. Diderot déclare avec une lenteur presque solennelle : sur le principe, je suis d'accord. Quelques types hurlent, applaudissent, on soulève une femme par la taille, on se pousse les uns les autres, Seamus leur lance un regard courroucé, qu'est-ce qui leur prend à ceux-là ? On n'est pas là pour célébrer la générosité du Père Noël mais pour faire pression sur un patron. Diderot refroidit l'assemblée en annonçant illico d'un geste de la main, attendez, maintenant va falloir chiffrer ça. Risée de silence et reflux de l'allégresse chez ceux qui lui font face, pas question d'avoir trois miettes en plus, pas question de se faire enfumer s'enhardit la femme précédemment soulevée en triomphe.

À présent, Diderot accélère, désigne Sanche, amène-toi, et se retournant vers Seamus O'Shaughnessy, lui demande de choisir lui aussi un témoin, ce sera Mo Yun, pétrifié en première ligne et dont le casque d'une excessive largeur obture à moitié ses paupières excitées. Après quoi Diderot expose sa méthode : réglez vos montres, nous allons faire le trajet ensemble, les conditions climatiques sont normales, nous allons chronométrer le temps exact du parcours vestiaires / site, et après seulement, nous irons négocier.

Le quatuor embarque dans la vedette qui repart vers la plate-forme Pontoverde, il s'éloigne, laissant les ouvriers désemparés et certains leur font des signes de la main comme s'ils partaient pour un très long voyage. Au bout de quelques instants, Seamus fait observer à Diderot qu'il s'agit tout de même d'une navette rapide, là, et non de la navette fluviale qui transborde les ouvriers sur le fleuve, d'un bout à l'autre du chantier – il précise, crispé, je dis ça parce qu'il faut que nous soyons rigoureux –, Diderot acquiesce, c'est vrai, et demande au pilote d'indexer sa vitesse sur celle de la chaloupe des ouvriers.

L'étrave file sur le couloir de fleuve conquis le matin même par d'autres embarcations, la couche de glace ne s'est pas reformée et l'on entend l'eau jaillir contre la coque, personne ne parle à bord, comme si tous ne pensaient qu'à l'écoulement du temps que matérialise cette écume, épaisse, blanche, qui explose en lourdes pampilles puis se décompose lentement en filaments grisâtres. Diderot réfléchit : ce n'est pas la première fois qu'il est confronté à une crise, que la grève menace un chantier mais, les fois précédentes, les types étaient organisés, représentés par des syndicats, les négociations suivaient un protocole officiel, les discussions avançaient sur des rails, verrouillées étape par étape selon un calendrier préétabli, chaque émissaire disposant de quelques biscuits à lâcher. Or, à Coca – qui est quand même le cul du loup –, les équipes mixaient plusieurs nationalités, les travaux exigeaient de répartir les ouvriers sur des sites éloignés les uns des autres et en outre, tout avait été pensé pour éviter qu'ils puissent coaguler leurs forces : la moitié des embauches au moins avait eu lieu sous contrats courts, des engagements hebdomadaires qui, même s'ils étaient renouvelés automatiquement d'une semaine sur l'autre, créant des présences linéaires identiques, instituaient au fond de profondes différences de statut parmi les travailleurs du chantier, entretenant chez les uns un sentiment de précarité, celui d'une vacation qui pouvait lâcher à tout instant, et chez les autres, dont certains bénéficiaient d'un contrat pour un an, le sentiment d'un privilège, d'une sécurité qu'il fallait protéger à tout prix, la conviction naïve d'être assis sur un sac d'or, et qu'il ne fallait pas faire de faux mouvements, tranquille le chat, s'agirait pas d'aller cramer pour rien cette chance inouïe. Aussi le conflit avait-il pris d'emblée une allure primitive – un coup de vent qui claque, un feu qui se renverse, un poing dans l'estomac –, il était soudain, confus, aléatoire, ramassé tout entier dans un violent désir de justice qui faisait torche devant les visages ; et c'était cela, précisément, qui secouait Diderot.

Déjà quinze minutes de trajet. Le visage tourné vers la proue du bateau et se délectant de cette frontalité qui lui claque au visage, Sanche se prépare à vivre son premier conflit – tellement heureux en cet instant d'être au cœur de l'action, se remémorant tant qu'il le peut les grandes heures du mouvement ouvrier que lui avait enseignées l'homme de Nouakchott lors de ces nuits où ils avaient poissé ensemble – tandis que Mo Yun, peu habitué à être ainsi distingué d'un groupe, se tient circonspect. Arrivés sur la plate-forme Pontoverde, ils marchent vers le baraquement des vestiaires, traversant l'esplanade d'un pas si absurdement normal que Sanche trébuche à force de contrôler ses chevilles. Une fois devant la porte du bâtiment, chacun lit le cadran de sa montre à voix haute, le coude levé à l'horizontale, Diderot conclut : le trajet a duré vingt-six minutes, nous sommes bien d'accord ? Les autres acquiescent. Bien. Les négociations peuvent commencer.

De nouveau la salle surchauffée, de nouveau la table et les chaises scolaires, de nouveau la tension distribuant une partition duale, le camp des patrons – Diderot, Sanche – face au camp des ouvriers – O'Shaughnessy, Yun. C'est parti. Seamus, bille en tête, reprécise la demande d'augmentation : cinquante-deux minutes de paye supplémentaire calculée au prorata d'une heure de salaire et multipliée par le nombre de jours travaillés. Sanche, qui s'est proposé pour le poste de secrétaire de séance, note scrupuleusement la revendication, et, quelques minutes plus tard, Diderot appuie sur la touche haut-parleur du téléphone et entreprend de lire cette feuille à ceux du Siège, ulcérés, qui relaient leur parole – faut savoir tenir tes troupes, Georges, le directeur général le tançait vertement, une telle augmentation est inenvisageable, je te rappelle que le chantier vient de prendre trois semaines dans la vue à cause de ces histoires de piafs à la con – et soudain, il n'y eut rien de plus idiot sur terre que ces voix, petits gosiers autoritaires que les intermittences de la connexion satellite rendaient vulnérables, voire chevrotantes, entremêlées dans le grésillement et les échos intempestifs, le décalage satellite, et même, cela parut hautement sidérant de penser que ces nébuleux paquets d'ondes vocales auraient leur mot à dire dans cette histoire, qu'on leur octroierait une marge de manœuvre, et plus dingue encore qu'on leur obéirait, tout cela était risible – et d'ailleurs Diderot tentait d'endiguer le fou rire qui prenait en lui. Après quoi, leur résumant le conflit, il s'en tint à l'essentiel : la main-d'œuvre est payée huit heures de travail pour près de neuf heures de présence, soit vous allongez la maille, soit on change de pendule, quoi qu'il en soit faut que vous bougiez, sans quoi les gars ne reprendront pas, la grève sera mise au vote à midi, après quoi on perdra la journée entière.

Dix-huit heures sonnent maintenant à Bécon-les-Bruyères, une cellule de crise se réunit fissa et déjà les directeurs financiers s'opposent violemment, les partisans de l'augmentation arguant qu'une réduction du temps de travail conduirait à payer des indemnités de retard bien plus lourdes encore à la municipalité de Coca, et les partisans de la réduction du temps de travail s'affolant à l'idée que le budget du pont explose si on payait cette heure supplémentaire. Les calculettes chauffent entre les mains impeccables. Certains, zélés, frénétiques, évaluent le coût du licenciement express des fauteurs de troubles assorti à l'importation sur place de travailleurs de confiance, et d'autres envisagent le pire : et si tout cela faisait traînée de poudre et contaminait l'ensemble du chantier ? Si agités qu'ils en oublient la nuit tombée comme une housse sur la tour Héraclès, tandis qu'à des milliers de kilomètres, sur une autre latitude plus proche de l'Équateur, un soleil d'hiver force maintenant derrière les nuages, javellisant leur blanc sale, on se bat les flancs dans la salle de réunion, bientôt midi.

Diderot assis à son bureau fait défiler le rétro-planning pour la énième fois. Levant le nez sur les trois autres, il leur déclare soudain : ok, on va s'arranger entre nous. Seamus sursaute, se méfiant illico de ce «nous» qui pue l'embrouille, les connivences de mafias, l'accord secret, le micmac familial, tout ce qui le débecte – et il a raison de se méfier : Diderot n'est pas le partisan des ouvriers du pont, ne connaît pas la mauvaise conscience, et s'il prononce cet «entre nous» égalitaire, c'est par pragmatisme, pour trouver la solution qui remettra tout le monde au travail au plus vite. Seamus résiste, demande un accord propre, un paraphe officiel, des garanties : il n'y a pas de nous qui tienne, monsieur Diderot, on veut notre heure en plus, c'est tout. À son côté, Mo Yun hoche la tête comme un automate, anxieux à l'idée que cette confrontation puisse cacher des enjeux que son anglais sommaire ne saurait capter, qu'elle devienne tribunal – et alors, il est sûr de tenir le rôle de l'accusé qui passe aux aveux publics avant de finir escamoté dans un trou avec une balle dans la nuque, il repense à Datong et à tous ceux qu'il a vus défiler sur la grande place du Peuple, bonnet d'âne sur la tête écriteau dans le dos et il a beau réfléchir, ne comprend pas comment il a pu se faire remarquer, lui qui baisse la tête, bégaye et tremble – et cherche un prétexte pour sortir de la pièce tandis qu'en face de lui Sanche retient sa respiration –, son premier conflit social ne peut lui passer sous le nez, il doit toucher un peu la chose. C'est à ce moment que Diderot se lève, massif, bascule de tout son poids vers l'avant pour venir aplatir ses mains sur la table – elles sont énormes ainsi étalées, les doigts écartés les uns des autres, des battoirs – et ainsi en appui, il regarde Seamus dans les yeux, les sourcils si haussés sur son front qu'ils se perdent dans le plissé des rides. Il parle d'une voix sûre, sans crier : le rapport de force n'est pas en ma faveur, le chantier a du retard, impossible de se permettre une grève, or moi, je livre dans les temps, j'ai toujours livré dans les temps c'est une question de principe. Désolé, ce n'est pas mon problème, O'Shaughnessy secoue la tête négativement et lui aussi avance son buste au-dessus de la table, mon problème à moi c'est un juste salaire. Il pose sur Diderot un regard inflexible et demeure tendu quand celui-ci lui répond ceux du Siège ne bougeront pas, vous allez vous enliser; je propose moi l'accord suivant, qui est à prendre ou à laisser : prime d'indemnisation du temps de transport, à savoir par ouvrier, vingt-six minutes multipliées par deux et multipliées par cent, maintenant libre à vous de rentrer dans un conflit avec Pontoverde. Pourquoi cent? demanda Seamus soupçonneux, parce que dans cent jours on aura fini de monter ces putains de tours, Diderot se lève pour ouvrir la fenêtre. Et si le chantier s'éternise? La voix de Seamus dans son dos. Diderot fait volte-face : sur le salaire vous n'obtiendrez rien, ils peuvent tenir des semaines, vous non, et moi non plus. Je vais en parler aux gars, ils décideront, déjà Seamus se lève de table et sort de la pièce tenant à la main la proposition écrite que Sanche, ému au plus haut point, vient de lui remettre.

Deux heures plus tard, alors que Diderot téléphonait au Siège pour leur annoncer l'accord et le montant de la prime – un fait accompli qui trahissait le régime d'exception dont il bénéficiait au sein du consortium et accusait son pouvoir, pas un seul cadre dirigeant ne moufta, fallait savoir ce qu'on voulait –, les gars des tours portaient Seamus O'Shaughnessy et Mo Yun en triomphe et les mitraillaient ensemble avec leurs téléphones portables –, Mo Yun absolument paniqué à présent, agoraphobe cherchant à fuir ces bras qui le portaient, ces mains qui le touchaient – et

Sanche applaudissait à ce qu'il appelait la victoire des travailleurs – conflit express et baptême du feu où se lisaient selon lui bien des promesses futures.

Au début du mois de mars, une délégation de Pontoverde se présente sur le chantier pour une visite officielle, commentée par Ralph Waldo en personne, escouade de cadres supérieurs à fort potentiel à laquelle le Boa adjoint son propre contingent de fidèles ainsi que certains conseillers de l'opposition qu'il souhaite neutraliser, se plaçant à leur tête, soit une vingtaine d'hommes, trois femmes, et une fois casquée, cette bande déambule d'un bout à l'autre du site après que Diderot a salué chacun d'une poignée de main et offert café et biscuits dans la salle de réunion du baraquement principal – certains s'étonnent du dénuement des locaux, de l'insipidité du café, mais approuvent le bon chauffage qu'ils étudient comme s'ils étaient les potentiels acquéreurs d'un local quand en vérité ils traînassent, car dehors le climat continental de Coca continue à faire preuve de brutalité, un froid remaillé de blizzard pique les joues, agresse le cuir des chaussures, pénètre sous les gants : ils sortiraient à reculons.

Pour Diderot, ces visites ne sont rien d'autre qu'un bel emmerdement, on scruterait ses manières de faire, on poserait des questions, on l'attendrait au virage : l'affaire de la prime de transport était encore présente dans les esprits, fait accompli qu'on ne lui avait pas encore pardonné, Héraclès ayant dû convaincre les autres parties composant Pontoverde – la Blackoak Inc. et la Green Shiva – de mettre la main au portefeuille, ce qui lui avait porté préjudice, et les Indiens, entre autres, ayant pris un malin plaisir à ricaner de ces désordres et menacé d'envoyer des contrôleurs.

On propose à la délégation de se rendre rapidement sur site, puisqu'il y a désormais quelque chose à y voir, les tours, et on se met en mouvement. Les autochtones, bien au chaud dans leurs vêtements appropriés – toiles solides, gants de peau, chaussures étanches fourrées –, se distinguent aussitôt du reste de la troupe, décontractés, les gestes déliés et le sourire aux lèvres. Les directeurs généraux du consortium, eux, collationnent leurs vestes de mer, casaques vert bouteille ou bleu marine au col de velours côtelé, imperméables mais pas bien chaudes, dans lesquelles ils régatent sur des voiliers de famille, l'été, au large de la Trinité-sur-Mer, soufflent dans leurs paumes, frappent le sol de leurs chaussures montantes, se délestant d'une fine poussière terreuse, encollée sous leurs semelles lors de randonnées pascales sur les sentiers pyrénéens, quand ils allaient vaillamment de refuge en refuge un bâton à la main, tirant derrière eux une marmaille récalcitrante qui quémandait son coca à chaque pause, sans jamais rien admirer des cimes sublimes, des mouflons et de la beauté sans pareille des fleurs sauvages. Ceux-là ne sont pas montés dans la vedette rapide fendant la bourrasque que déjà les extrémités de leur corps rougissent à vue d'œil, les nez surtout, quand les lèvres, elles, reproduisent carrément la couleur de l'aubergine, les cernes se creusent, rétractant les yeux au fond des orbites, mais pas un seul n'ose relever la température glaciale, virilité oblige, et tout de même, les ouvriers, eux, travaillent dehors.

Quand la grosse vedette arrive en vue des tours du pont, quelques hommes sifflent, signifiant que le chantier était bien plus avancé qu'ils ne l'auraient cru, et rassérénés, grimacent leur contentement. Tout cela prend forme conclut l'un des conseils juridiques d'Héraclès. Il est vrai que déjà les tours impressionnent, fines et vigoureuses, hampes sans plus de drapeaux que leur verticalité écarlate. Leur élévation progressant à rythme constant, on plaisante volontiers qu'elles se fabriquent elles-mêmes, comme si leur forme, leur coupe n'étaient que la conséquence d'un mouvement congénital, comme si, finalement, elles se développaient de l'intérieur. Or, derrière les parois d'acier, c'est un meccano démentiel qui prolifère en hauteur, labyrinthe de caissons où s'égarent les ouvriers qui peinent à retrouver celui qu'ils ont quitté la veille, c'est le vacarme des soudures démultipliées en écho, les tympans vrillés dans les odeurs de métal chauffé, c'est l'atmosphère explosive d'une mise à feu.

Mais pour les habitants de Coca, la chose la plus singulière tenait moins à la construction des tours qu'à leur présence soudaine dans la ville. Un événement qui affectait le temps tout autant que l'espace. Un clivage. On ne reviendrait plus en arrière. Désormais des «jamais» et des «toujours» apparaissaient dans les discussions de bureau, dans les couloirs et les halls, et plus les tours montaient, et plus quelque chose s'effaçait, relégué dans le passé, et d'autant plus englouti, d'autant plus perdu que ce passé était proche et intime, d'autant plus irrécupérable que ce passé c'était hier, c'était la ville «d'avant les tours» qui serait bientôt celle «d'avant le pont»; quelque chose avait vécu, et qu'importe alors l'idée de progrès qui chevillait le travail, qu'importait la modernité, le devoir d'être de son temps, y penser flanquait un sacré coup.

Se faire à ces tours rouges, métalliques, n'allait pas de soi, rien dans leur forme ou dans leur matière n'était propice à les fondre dans le paysage, à les infiltrer en douceur. Elles y disjonctaient, superstructures, quand pourtant – paradoxe sur lequel on passait des heures à s'interroger – elles s'y plaçaient avec une simplicité déconcertante, quasi énigmatique, à la manière des éléments d'un décor retenus longtemps en coulisses et dont l'heure était venue de paraître au plateau, s'élevant à l'endroit exact où deux croix sur le sol leur avaient désigné leurs places, sûres, incontestables. Elles sortaient de l'eau et les habitants oscillaient, paumés sans plus de repères, et nombreux étaient ceux qui se mettaient d'urgence à raconter des anecdotes indexant l'histoire de leur vie sur celle de la zone, parcourant à rebours la temporalité urbaine pour y faire surgir des parcours perdus, les langues se déliaient, c'étaient des lieux de rendez-vous qui n'existent plus, des temps de trajet raccourcis, des circulations à pied aujourd'hui dangereuses, des lignes de bacs aujourd'hui disparues, et il fut très souvent question de chevaux ; puis ils cillaient vers le pont, et dans un beau mouvement d'appétence alléguaient soudain que ces tours qui s'élevaient, au fond, c'était comme si elles avaient toujours été là, ou du moins comme si on les avait toujours attendues et qu'elles n'étaient venues occuper, en somme, que l'empreinte en creux de leur volume, et comme tout cela était bizarre.

Parmi ces gens, un groupe de réfractaires se manifeste de plus en plus souvent, des habitants de vieille souche qui arguent de l'ancienneté de leur présence à Coca comme d'un surcroît de légitimité, des individus qui connaissent la zone par cœur, et rappellent en préambule de chaque intervention publique – conseil municipal, éditorial de presse, assemblée de leurs associations – qu'enfants, ils ont couru dans des champs vastes comme des océans, écartant les hautes herbes qui griffaient leur front pâle, qu'ils se sont baignés dans chaque anfractuosité du fleuve, sont capables de citer le nom des rochers et ceux de la moindre pâture avant sa conversion en terre à bâtir, que leurs aïeux ont mélangé la poussière de leurs corps à celle de la terre. Ceux-là, qui regroupent propriétaires terriens, vieilles familles de négociants, exploitants de bacs – dont le Français –, forment l'essentiel de l'opposition municipale, s'émeuvent de ces tours qui les signalent au monde, ajoutant le nom de Coca à celles des cibles potentielles du terrorisme, comme si depuis l'attentat du World Trade Center, leur imaginaire était contaminé par la menace et que désormais, voyant s'affirmer dans leur ciel des lignes verticales, ils ne pouvaient s'empêcher d'envisager que ces masses s'effondrent, se résorbent, sur elles-mêmes en un nuage morbide, paranoïa diffuse dont le corollaire, en matière d'architecture, se résumait à une simple ligne : on ne veut pas d'histoire.

Dans la vedette, la découverte des tours déjà hautes suscite nombre de commentaires techniques – boulonnage-rivetage ou soudure ? –, financiers – coût des migrations fluviales (fioul + équipage + coefficient d'usure des bateaux) –, et enfin, esthétiques – le rouge, décidément, ne passait pas. Alors qu'on approchait de la tour Edgefront, un membre de l'opposition municipale, un homme bref aux cheveux gris taillés en brosse, qui avait bien chaud dans sa canadienne de cuir à col de fourrure, saisit un interstice de silence pour critiquer ce projet arrogant, une provocation qui exciterait la vengeance et les desseins funestes des terroristes. Silence embarrassé dans l'embarcation qui ralentit maintenant, s'approchant des structures. Ralph Waldo passe une tête sous l'auvent pour mieux voir les vertèbres du pont puis admet qu'effectivement – il posa à plat une main sur son torse –, comme la plupart des ponts, celui-là incarnera, outre l'excellence technologique, une certaine idée de la démocratie, élaborant un territoire plus large, plus riche, plus ouvert, intégrant des zones dissemblables et jusque-là mal raccordées, augmentant le volume et la vitesse des circulations : il créait un nouvel espace communautaire, un espace fort, où les réflexes victimaires et les prédictions apocalyptiques – orateur en cet instant, défendant son œuvre, les yeux reculés dans les orbites mais roulant avec intensité – n'auraient pas leur place. Puis se délestant de son flegme, et vitrifiant d'un coup l'assemblée stupéfaite, il déclara ce que vous avez sous les yeux est un bloc d'énergie brute, la part d'un élan créatif dont la seule réalisation éradique les idées noires qui souillent désormais le travail des architectes, il blasonnera la ville d'un optimisme vengeur, d'une affirmation nouvelle – un sacré numéro, le Boa boit du petit-lait impressionné, Diderot s'allume un Lusitania. Après quoi les directeurs de Pontoverde visualisent l'avancement de l'ouvrage cou tendu au-dehors, un bref instant clignent des yeux sous la neige fondue qui s'est mise à tomber du ciel, puis l'embarcation accoste au pied d'Edgefront Tower.

La délégation est conduite dans la tour, elle monte dans les caissons observer le travail de soudage à l'arc et se féliciter de l'excellente productivité de cette technique – un des directeurs s'enquiert de l'épaisseur du métal d'apport, pour faire impression, et Diderot lui donne sèchement la réponse, coupant court à la perplexité de l'ouvrier qui remet son masque pour poursuivre son travail –, elle interroge la sécurité, casques et harnais, câbles de sécurité – une femme de la délégation stipule à voix forte que le non-respect des consignes de sécurité entraîne ici un licenciement sur-le-champ pour faute lourde, simple question d'assurance et toutes les têtes approuvent l'intransigeance d'une telle procédure –, elle serre des mains au hasard, des mains qu'il lui faut attendre bien souvent – Seamus O'Shaughnessy refuse d'interrompre son travail et garde la sienne gantée, on n'est pas au zoo, merde –, et puis franchement ça caille, les bouches des officiels s'enfoncent dans les cols, sous les écharpes et l'on décide de faire demi-tour pour rentrer à la plate-forme. En chemin, l'adversaire de l'ouvrage interpelle Diderot, j'aimerais connaître votre sentiment sur ce pont dont vous êtes le bâtisseur, dites-moi quelque chose de concret – il a une figure volontaire, les dents très blanches alignées au cordeau, l'air d'un colonel de GI à la retraite. Diderot le regarde puis articule très distinctement je ne calcule pas ces menaces hypothétiques, ces fantasmes, pas le temps, mon inquiétude se porte sur l'exécution du travail et la sécurité des hommes, que menacent les délais délirants, le cahier des charges intenable, le climat de merde, la putain de rentabilité de tout ce bordel.

En vérité, Diderot s'inquiète pour Katherine qu'il n'a pas revue depuis le soir où ils se sont placés face à face dans ce snack banal, à l'angle de Colfax et d'Arapahoe, centrés sur de courtes banquettes de moleskine sang de bœuf entre lesquelles, franche, carrée, hospitalière pour les coudes et les paumes, et comme créée pour le dialogue, il y avait la table, surface champagne aux coins arrondis, de la largeur d'un bras tendu – ce bras qu'il faudrait tendre justement, déplier à l'horizontale, afin que s'avancent les corps en attente à l'arrière, emmanchés à l'endroit de l'épaule, et qu'ils s'amènent doucement, comme des morceaux de territoire, ce bras charnel qui ferait licol, à présent la mesure même de ce qui les sépare : quelque chose reste donc à franchir qui est cette table, qui est encore un fleuve, et Diderot appelle déjà la serveuse, il faut que Katherine mange au plus vite pour dessaouler.

Or, dans ce bar d'une évidence plate où grésille un juke-box, sur ce linoléum chamois ombré d'auréoles, entre ces vitres sales, brouillées de peintures, sous ces globes de lumière blanche disposés au plafond comme les points sur le domino six, non loin de ce comptoir où sèchent des *cupcakes* fluo et des *donuts* de trois jours, où patientent des tabourets de moleskine veinés comme du steack haché, la table de formica est leur meilleure alliée. Joue à plein de sa puissance quotidienne, araseuse de hiérarchie – sexe, âge, statut social –, champ de manœuvre égalitaire équilibrant les présences – et s'ils y avaient pensé, ils l'auraient remerciée, cette table, auraient baisé son plateau aux relents de graisse et d'ammoniaque sur quoi ils avaient déplié le présent. Ils s'y parlent de plain-pied, comme déboulés l'un en face de l'autre au beau milieu d'une clairière, ou comme on se jette à la tête de quelqu'un – des élans qui mélangent leurs bois sans plus de manières –, court-circuitent les présentations, Katherine enlève son pull, directe, et Georges l'observant les enclôt ensemble dans le vif du sujet : les seuls rebours qu'ils s'autoriseront sont ceux du trajet qui les a menés à Coca. Elle croque une tranche de pain, annonce, limpide, je vis avec mon mari et mes enfants dans Edgefront, j'ai deux garçons et une petite fille, Georges acquiesce en souriant, je sais, j'ai croisé toute la troupe l'autre jour, elle relève ses yeux dans les siens, oui, voilà, c'est eux, à présent elle tartine son pain de moutarde, et toi ? Georges tend son visage dans la direction du sud, j'habite Cherry Creek Valley, près du fleuve, côté Coca, seul, pas d'enfants, Katherine sourit, ah c'est beau par là-bas, t'es au bord de l'eau, il acquiesce de la tête, oui, c'est pour le temps du chantier – lui aussi limpide, annonçant la couleur. La serveuse dépose les boissons sur la table pile à cet instant – une bière pour Georges, un café américain pour Katherine –, détournant de la sorte l'impact de ces dernières paroles, elle leur offre dans la foulée quelques gestes à faire – il saisit son verre, elle plonge dans le mug –, puis Georges reprend, toujours calme, trois enfants, c'est beaucoup de boulot ça hein, mais le regard de Katherine s'échappe sur le type en calot blanc et long tablier sale qui marche sur eux maintenant, les pancakes et des patates au four, les enfants, c'est mon truc, elle passe une main devant son visage comme pour clore le sujet, et alors Diderot écarte son ventre de la table : les plats sont là. Et après, tu sais où tu vas ? Katherine l'interroge tout en considérant le contenu de son assiette, après ? il répond, après, je repars, on verra. Il n'y a plus grand monde à cette heure autour d'eux, la serveuse éponge les tables, le vieux barbu marmonne, le binôme de flics a repris sa maraude, Katherine arrose les pancakes de sirop d'érable, elle raconte – obstinée en cet instant, le front bombé très blanc dans la lumière du globe – : Lewis, mon mari, a eu un accident l'année dernière, une chute, sept mètres, il couvrait un toit chez des particuliers au sud de San Francisco, l'assurance n'a pas marché – elle avale son café d'un trait. Pourquoi ? Georges l'interrompt, et elle, le front penché sur l'assiette de patates qu'elle sauce jusqu'à la dernière goutte, articule d'une voix atone, il avait bu quelques bières au déjeuner, ils ont dit qu'il était saoul. Elle ne travaillait plus depuis la naissance de Matt, ce n'était pas rentable avec ce que coûtait la garde des enfants, et il avait fallu qu'elle trouve quelque chose au plus vite, et donc, elle aussi, le chantier, une aubaine, ça lui plaisait, oui, vraiment. Et après? Georges demande, Katherine lève les paumes vers le plafond en inclinant la tête sur l'épaule, répète, après?, après on verra, on bouge tout le temps. On est pareils alors? Georges murmure tandis qu'ils lorgnent ensemble dans la même bière, yes, pareils, Katherine sourit.

Maintenant, ils sont seuls dans la pièce, deux tours photophores l'une en face de l'autre, et dehors, il fait nuit. Une joie systolique cogne dans leur poitrine, douloureuse, et trace dans un même mouvement ce qui se lève entre eux et ce qui sombre à toute allure, le surgissement du présent et l'effacement de leur vie d'avant, sont fébriles et vaguement tristes – c'est l'amour qui les déchire. Ça va mieux, non? Georges, sérieux comme un pape, désigne à Katherine l'assiette qui étincelle et elle rit de fausse honte, des rides plissé soleil se forment au coin de ses paupières gonflées de fatigue, à cet instant, la serveuse apparaît debout raide, sa lavette dégueulasse à la main, et déclare s'il vous plaît, on ferme dans cinq minutes. Alors Katherine se penche vers Georges, le front pâle sous la masse de cheveux tabac, les iris foncés maintenant, et luisants, presque noirs, et soudain tend le bras, avance une main vers lui, la pose bien à plat sur sa joue – drôle de geste pense Diderot, touché – et déclare faut y aller, les minutes sont comptées, mais alors il lui prend la main, la replie comme un poing dans la sienne, la retourne, hop, un baiser : on a toute la vie devant nous.

Dehors, le froid coupant les a d'abord fait tituber – de fait, soudain sans plus de table, ils sont décentrés, valdinguent comme des toupies –, puis les a raidis l'un en face de l'autre, statues de chair. Tu es attendue chez toi ? Georges remonte le col de sa veste et Katherine zippe sa parka, sans répondre, les joues en feu, et grelottant déjà, tu veux dire qu'il faut que je rentre, c'est ça ? Sérieuse maintenant, sur la défensive, elle commence à remonter le trottoir, tu trouves que je n'ai pas assez le sens du sacrifice, vaguement agressive quand pourtant lasse, au bord de tout laisser tomber, mais Georges l'interrompt, ferme, je ne trouve rien du tout, c'est toi qui sais, allons-y.

À trois blocs, le Niagara Motel sur Colfax, et, triviale, une chambre qu'ils n'allumeraient pas. Ils y arrivent essoufflés : ils ont couru. Un cent mètres, Georges indiquant soudain la ligne d'arrivée à Katherine – tu vois la porte au néon rouge, là-bas ? – et les deux se mettant en place côte à côte, un genou à terre entre leurs mains gantées posées à plat sur le bitume, t'as pas intérêt à t'avantager, Katherine a murmuré, puis Georges a crié go sans prévenir et ils sont partis comme des coureurs – boucan d'enfer des semelles sur

le macadam nocturne, silhouettes plus très jeunes
engoncées dans de lourdes vestes, l'escogriffe
et la mal-coiffée, souffles coupés dans l'effort –,
lui devant, égalisé par elle à hauteur du second
bloc, après quoi ils courent de front, exagérant
leur foulée, les bras comme des champions olym-
piques, puis elle le dépasse, touche finalement
la porte de la réception la première, et Diderot
qui tape à trois secondes derrière, secoue la tête,
les mains sur les côtes, et crache comprends pas,
mon nom est Carl Lewis, et Katherine tranquille,
la main tendue au-dessus du bureau du gardien
pour récupérer la clé, simple question de mental
chéri, et soufflant toujours, ils déambulent dans
l'obscurité entre les bâtiments jusqu'à trouver le
leur, puis longent les portes jusqu'à leur numéro,
une chambre qui est une parmi d'autres, absolument semblable aux autres, exactement comme
eux qui sont un homme et une femme parmi des
milliards d'autres, et une fois entrés la sensation
d'un soulèvement scandé, ils se déshabillent en
silence, sont assis chacun d'un côté du lit mais
s'entre-regardent toujours par-dessus l'épaule
– c'est long tous ces vêtements à enlever, ces
épaisseurs de tee-shirts, ces lacets à défaire,
chaque geste libérant des odeurs d'épidermes par-
dessus quoi émane celle du chantier, comme un
fluide commun –, ils sont nus maintenant, et leurs
peaux que l'obscurité fusionne prennent même
température et mêmes nuances carbone, ils se
tendent une main jusqu'à se toucher par-dessus le
lit, jusqu'à se rapprocher l'un contre l'autre, alors

253

c'est le grand tâtonnement, l'opéra tactile, et les corps à fragmentation multiple qui se débrouillent parfaitement bien dans la pénombre.

Depuis, ils ne se sont pas revus, ni le lendemain, ni les semaines suivantes, il sait qu'elle travaille sur les chantiers de terrassement des accès autoroutiers, des sites éloignés de la plate-forme, quand lui est requis sur ceux des tours. D'ailleurs s'il s'inquiète là, assis dans la puissante vedette de la direction du chantier parmi les huiles de Pontoverde, c'est moins de la revoir, de la toucher, ou de repousser de nouveau ses mèches sur son front – ils ne se manquent pas et ils ont confiance – que de savoir comment elle fait pour tenir ces vies – ces territoires – ensemble.
Cette nuit-là, elle était singulièrement calme et sereine quand elle lui a chuchoté, je veux rentrer maintenant. Il était étendu sur le dos, la distinguait qui cherchait ses vêtements dans le noir, a enchaîné je te raccompagne – il était tard, les bus seraient rares, il la déposerait à Edgefront. Ils se sont rhabillés, plaisantant à l'idée d'intervertir leurs habits, puis de nouveau l'espace du motel, Colfax, la voiture glacée, et le cœur de Coca, très énervée comme toutes les nuits vers deux heures du matin ; ils ont franchi le fleuve glacé, veineux, instable, et une fois de l'autre côté de l'eau, elle lui a dit arrête-toi, je descends ici. Georges s'est garé sans commentaire, et abrégeant la séparation, Katherine est sortie aussitôt, puis s'est courbée dans la portière, on se fait

signe, il a acquiescé, fais attention à toi. Il n'a pas démarré tout de suite mais l'a regardée remonter l'avenue, très fine maintenant, pas si grande, une silhouette que disproportionnait la grosse tignasse mal coupée, l'a suivie des yeux jusqu'à ce qu'elle passe le coin du bloc et que son ombre même disparaisse dans la rue déserte, et très lumineuse, persuadé de l'entendre qui marchait maintenant sur un autre territoire, un espace qui se refermait derrière elle à chacun de ses pas, et qui lui était propre, et qui était chez elle, et il admira un instant cette faculté de rentrer, de passer à autre chose, quand accélérant à présent vers sa baraque en kit dont le badigeon pourrit aux encoignures, s'apprêtant à ouvrir la porte si peu épaisse de son foyer, sûre que les enfants dormiraient, respirant bien au chaud sous les couettes à motifs criards, mais que Lewis, lui, attendrait son retour devant la télé, globes fixes, énième canette de bière en pogne, elle accélérait, gonflée d'un désir singulier, et peut-être même qu'elle souriait doucement tête baissée dans le col de sa veste qui crissait comme un feu à chacun de ses gestes, car tout se passait comme si déjà elle se recréait.

L'accident survient quelques jours après la débâcle, le temps presse et les hommes des tours accélèrent la cadence. Parmi eux, certains ne s'attachent qu'une fois à leur poste, pour gagner du temps durant la montée que ralentit le port du câble de sécurité. Or ascensions et descentes sont des passages délicats, sortes d'heures de pointe qui exigent de l'ordre et de la vigilance – les descentes, surtout, inquiètent : on se bouscule dans les travées, sur les échelles, on se presse pour ne pas manquer la première navette pour rentrer à la plate-forme Pontoverde, on est tellement pressés d'en finir avec la journée de boulot.

Ce jour-là, le redoux avait réjoui la troupe des ouvriers qui avaient travaillé bras nus, en bleu ou en tee-shirt. Dès la navette fluviale, certains avaient déliré à voix haute sur le retour des filles en jupes courtes, sifflé les joggeuses qui couraient le long des rives, et les rares femmes des équipes en avaient rajouté, effrontées, criant aux types qui fendaient l'air dans des shorts satinés qu'elles

les attendaient, c'est quand tu veux chéri. Cette gaieté nouvelle congestionnait leurs gestes, tous bégayaient les mouvements les plus ordinaires, s'excitaient imaginant une virée dans la baie, ou une session de pêche dans les bras du fleuve en amont de la ville, se branchaient covoiturage d'un caisson à l'autre, gueulant par-dessus les bruits des soudeuses, et à l'heure du déjeuner ils furent nombreux à s'agglutiner dans les travées pour prendre leur casse-croûte, et alors chacun y alla de son histoire, la transparence de l'air remuait les langues hivernales tout comme en dessous, à des dizaines de mètres, le fleuve épaississait son cours lent et onctueux, les dernières plaques de glace accrochées dans les ramures des berges s'étaient depuis longtemps dissoutes dans le flot très vert, et çà et là, des spires énigmatiques incurvaient la surface des eaux, sceaux de quelques gastropodes nacrés, génies du fleuve qui s'ébrouaient dans les remous, c'était de nouveau la grande mobilité liquide.

À présent donc, la lumière est de retour. Elle gicle au détour d'une poutre, d'un caisson, ricoche sur les rivets, et quand un rayon de soleil passe à travers les charpentes et tape dans les visages, c'est l'aveuglement, c'est le corps qui vacille. L'accident fatal se joua dans cet espèce de miroitement : il était un peu plus de midi quand, s'avançant sur la travée après avoir bu et mangé, le câble de sécurité décroché le temps de mimer la course de bowling qui l'avait conduit au *strike* – trois pas suivis d'un quatrième glissé, le bras porteur de boule balancé en arrière à hauteur de l'épaule –, un type d'une cinquantaine d'années, ébloui par le soleil, dérapa sur le côté, son genou droit cognant le plancher de métal tandis que l'autre glissa dans le vide avec la grosse chaussure au bout de la jambe qui faisait poids, il n'y eut pas de prise pour ses mains – d'autant que la gauche censée tenir la boule invisible pendait du mauvais côté avec le reste – et aucun filet, aucune corde ne traînait là qui pût le retenir, il bascula sur le côté, vrilla dans l'air comme un gros sac – et observant la scène, on aurait pu penser à ces histoires de pirates, à ces gars que l'on passait par-dessus bord après l'abordage, ligotés dans une couverture ou dans un drap, leurs corps quasiment parallèles au bordé du navire au moment de la bascule : un cri comme de la gaze que l'on déchire, le ciel qui s'entrouvre, le bruit de l'eau qui se perfore, plouf étouffé par la distance – peu d'ouvriers purent le percevoir, trop de chahut là-haut, trop de blagues.

L'accident s'était joué à la vitesse de l'éclair, un reflet dans l'œil, un battement de paupières, un éclat de morse, et bien des échanges continuèrent après le plouf, les gars se vannant le nez dans leurs gamelles puis relevant machinalement la tête, alors clignant des yeux, éblouis eux aussi, ou trop stupéfaits pour y croire, si bien que quelques secondes s'écoulèrent avant la réaction des ouvriers, et soudain ceux qui riaient une seconde plus tôt de voir l'homme rejouer son strike au bowling, se tinrent figés statues de sel, puis, ayant vérifié leur harnais, s'approchèrent du bord, lentement, enchaînés les uns aux autres, l'un d'entre eux dégobilla aussitôt son repas, livide, il fallut le porter pour le ramener à terre, d'autres avaient chaud, la tête qui tournait, ou peur de redescendre, enfin on actionna la sirène. Au milieu de l'après-midi, on retrouva l'homme mort en aval de Coca, son cadavre coincé sous les racines et les ronces qui festonnent la berge, côté Edgefront. Ce fut délicat de le dégager.

Il s'agissait d'un accident de travail, il y aurait enquête. Celle-ci commença dès le lendemain, et la question du câble de sécurité décroché à l'heure du repas décortiquée la première : il apparut que c'était là pratique courante, le manque de rigueur ou l'excès de confiance dominant parmi les ouvriers d'Edgefront Tower, les responsables du site faisaient mal leur travail, leur registre n'attestant aucune amende, aucun blâme, il fut dit sans rire que les hommes avaient la bride sur le cou, qu'il fallait des sanctions, diagnostic qui provoqua la colère de ceux qui travaillaient là – Seamus O'Shaughnessy modula de nouveau ses poignards de poil noir sur sa face creuse, et promit de reparler des cadences infernales si un seul ouvrier, un seul, se faisait emmerder dans l'enquête –, ils plaidèrent l'accident isolé quand Diderot, lui, dégaina auprès des enquêteurs l'argument climatique, le redoux, la lumière, et finalement, pour faire bonne figure, et en guise de compromis, il décréta froidement l'interdiction de l'alcool sur tous les sites du chantier, et prévint une dernière fois que quiconque serait vu sans casque et sans harnais serait licencié illico.

Diderot ne connaissait pas l'homme qui était tombé, ne joua pas la comédie du deuil, fit seulement ce qu'il y avait à faire, un envoi de couronne mortuaire à la famille, des gens du Missouri auxquels le corps réassemblé fut envoyé dans la soute d'un avion siglé Pontoverde – mais cette chute l'affecta qui ramassait en sa trajectoire fatale la confusion du chantier. Cet enchevêtrement de corps et de matières qui luttaient ensemble sur un front instable, ce mélange de relâchements et de tensions, ce calendrier morcelé, ces procédures composites, cette fragmentation enfin, qui était le cœur de son travail et dont le traitement était sa méthode, tout cela soudain lui apparut ric-rac, précaire, infiniment friable sous la coupe du pont qui s'élevait chaque jour plus haut et solide que la veille, mais chaque jour plus monstrueux, et les nuits qui suivirent l'accident, il crut entendre de nouveau le cri de Jacob « salaud ! » « salaud ! » et quand il se levait pour ouvrir la fenêtre et chercher au-dehors de quoi respirer, il ne percevait dans le noir qu'un paysage mouvementé, des eaux exorbitantes constamment enflées d'alluvions, et leur débit sonore qui n'avait pas de fin.

Il est quinze heures cinquante ce 13 mai, et la tour Coca atteint maintenant deux cent quatorze mètres. Duane Fisher et Buddy Loo sont coiffés de leurs casques et sont correctement harnachés mais rien ne peut endiguer leur désir de déconne. Plus que dix minutes avant la sirène, ils ont huit heures de travail dans les bras et suffoquent dans les caissons, transpirent sous les masques.

Ils ont appris à souder en trois jours, fallait du renfort dans les hauteurs, on embauchait là des types jeunes, forts, avec de bonnes capacités de travail et il se disait encore que les Indiens ne souffraient pas du vertige, qu'un gène spécifique possédé d'eux seuls les exemptait de la peur de travailler à des hauteurs folles, funambules aux muscles de fer allant rapidement sur les poutrelles métalliques – on déroulait toujours la légende des Mohawks, découverts acrobates du ciel dès 1886 par les contremaîtres d'un pont routier sur le Saint-Laurent stupéfaits de les voir caracoler à la verticale, et dès lors *ironworkers* de choix, importés par fournées depuis leurs réserves du nord-est des États-Unis, ou du Canada, pour grossir le contingent des bâtisseurs de gratte-ciel, parmi lesquels l'Empire State et le Chrysler Building à New York, on rappelait même qu'après la destruction des tours du World Trade Center, des Mohawks, descendants de ceux qui les avaient construites, revinrent sur le site dévasté pour tout démonter, et il est certain qu'on aimait d'autant mieux les distinguer de la sorte qu'on les avait abaissés plus bas que terre. Duane Fisher et Buddy Loo ignoraient cette élection, n'étaient pas mohawks mais ohlones, et pourtant se grisèrent eux aussi d'être envoyés là-haut.

La première fois qu'ils se retrouvèrent au sommet de la tour Coca, ils se firent surprendre par le gigantisme du ciel, se reçoivent une claque violente, l'air était irisé, rapide, des milliards de gouttelettes microscopiques diffractaient le mouvement et la lumière, euphorisaient l'espace qui soudain se dilatait à toute vitesse, et ils rirent, saoulés. Ils ne furent pas longs à trouver de quoi exciter le danger comme on excite un chien, ils trouvèrent vite de quoi trouer la gangue d'interdits au sein de laquelle ils accomplissaient des gestes répertoriés. Le vide avec le fleuve en bas, la travée rouge qui sectionnait le paysage, les autres qui mataient, tout cela faisait théâtre, énonçait un champ d'action où éclatait leur désir de jouissance, et alors ils commencèrent les cascades. La première fois, Duane avait vérifié son harnais,

peu avant seize heures, et tourné son visage vers
Buddy, dents éburnéennes et pupilles anis, lui
avait déclaré tout de go eh, tu paries que je saute ?
et Buddy, la main en visière au-dessus des yeux,
avait jeté un œil en bas considérant la hauteur,
yeah, j'irai après toi, on va faire comme les paras,
yes, on est des guerriers, on est des *Indian warriors*,
il poussa un cri que Duane reprit avant d'ajouter,
on va leur montrer comment on s'éclate à ces
blancs-becs – et sans doute qu'ils fouettaient.
C'était maintenant la pause, les gars sortaient des
caissons, Duane attendit qu'ils se rassemblent, se
mit en position de départ comme le parachutiste
dans la carlingue, une jambe fléchie en avant,
l'autre tendue en arrière, puis il poussa un cri
– celui, classique, de Tarzan –, et se jeta dans le
vide, le câble se déroulant derrière lui à une vitesse
folle, comme un lasso, comme une lézarde dans
le mur du temps, le harnais grinçait à ses oreilles
tandis que son hurlement se perdait, nu, sans plus
d'écho, alors le paysage s'engouffra en lui, déchi-
rant sa poitrine, coupant sa respiration, après
quoi il se cogna contre le ciel sans rebondir – le
câble n'était pas complètement élastique – mais
son corps revint violemment contre la colonne et
il dut plier les jambes, genoux contre l'abdomen
et pieds à la verticale pour amortir le choc au
moment de heurter la structure, et repoussa la
paroi métallique comme les alpinistes dévissant
repoussent la montagne, une fois, deux fois, trois
fois, puis ce fut un doux balancement sans plus
d'amplitude, il resta suspendu dans l'air, sonné,

renversa le cou vers le haut de la tour où se pressaient les ouvriers de l'équipe têtes penchées, collier de boules noires dans le contre-jour, il ne vit pas leur visage mais entendit leurs applaudissements, après quoi Buddy sauta, et lui aussi le choc et le cri de guerre, lui aussi l'incorporation au ciel.

Ces cascades devinrent des attractions dont la rumeur se répandit dans la tour – il est certain que Diderot en apprit l'existence, et ce, peut-être même dès le premier saut, les bruits allaient vite sur le chantier et certains riverains côté Coca avaient bien pu le renseigner, qui étaient postés toute la journée à la fenêtre et voyaient fort bien ce qui se passait sur la tour, se plaisaient à faire des rapports à la direction du chantier, à s'informer du taux de pollution et du calendrier des travaux, et à formuler des plaintes contre la saleté, le bruit, les vols à la tire en pleine recrudescence qu'ils imputaient à la main-d'œuvre –, et désormais, ils remettaient ça en fin de journée quand les chefs entraient dans leur bureau de fortune au pied de la tour, c'est histoire de se marrer disent-ils, histoire de se faire payer des bières et des airs de juke-box, car le chantier vivait des heures paradoxales : l'abattement lié à la mort de l'homme d'Edgefront Tower s'enroulait maintenant dans une tension nouvelle – la préparation des câbles, la pose du tablier.

Ils sont là-haut, la sirène sonnera dans dix minutes et Duane et Buddy d'un seul coup d'œil se sont décidés pour une cascade. Ils se pointent sur la travée outrant la décontraction, secouent leurs cervicales, tournoient du bassin comme s'ils dansaient avec un hula-hoop, leur chewing-gum fredonne dans leurs bouches frimeuses, ils n'ont pas entendu la vedette de la direction qui débarquait Diderot, ne l'ont pas vu qui montait maintenant les étages de caissons, usant de petits ascenseurs archaïques et une fois les ouvriers attroupés pour le spectacle, ils s'élancent sous les cris, sous les vivats, des éclats de voix que Diderot entend lui aussi, il accélère, et une fois sur la dernière travée, ahuri, s'approche alors du bord de la structure, se frayant un passage entre les casques agglutinés, et sa tête est maintenant une boule supplémentaire au collier qui couronne la tour. Personne ne l'a vu arriver – les ouvriers lui tournaient le dos – mais tous sursautent et se retournent comme un seul homme quand ils l'entendent s'exclamer, putain ! Ils s'écartent aussitôt, puis se reculent, laissant Diderot seul face aux deux garçons qui tanguent et s'allumeraient bien un clope, là, puisqu'ils sont hors du chantier, puisqu'ils se balancent, puisqu'ils sont des braves. Diderot pivote vers les ouvriers massés à l'arrière, et après ? on les hisse, c'est ça ? Ouais, c'est ça. Diderot se penche encore, les deux garçons ont renversé vers lui leur visage radieux, s'étonnent que leur public ait disparu sauf cette tête-là, une tête qu'ils ne reconnaissent pas, ils crient eh, oh, on remonte ! Redressé, Diderot ordonne aux autres ouvriers de descendre, dégagez, je ne veux plus personne ici, un lent mouvement s'observe, piétinements de chaussures de chantier en direction des escaliers, une fille s'inquiète, passe par-dessus son épaule une face angoissée, vous allez pas les laisser comme ça hein ? Diderot ne répond rien. Il est fou de rage. Une fois la travée vide, il se penche à nouveau sur Duane et Buddy qui s'inquiètent d'entendre des bruits de pas dans les escaliers de la tour, de voir des copains descendre et leur crier une fois parvenus à leur hauteur, y a Diderot en haut, y a le boss. Les deux garçons pensent merde puis entendent la voix de Diderot qui leur hurle, vous avez cinq minutes pour remonter avant la sirène, magnez-vous.

Les deux garçons se regardent puis considèrent la longueur du câble avec effarement – plus de trente mètres, au moins. Alors, sans échanger la moindre parole, ils se mettent en branle. Utilisent ce qu'il reste de force à leur balancement pour reprendre de l'élan, augmenter l'amplitude de leur oscillation, afin de toucher de nouveau la structure et d'y prendre appui pour remonter, ils y parviennent, et une fois les pieds bien à plat contre la plaque de métal sombre encore à cette heure, cramoisi presque noir, bandent les muscles des bras, à mort, et se hissent, centimètre par centimètre, remontent toute la paroi, c'est long et harassant, ils se liquéfient dans l'effort, crispent leur visage et durcissent le ventre, ils grimpent, s'aidant de petits ressauts pour gagner quelque longueur de corde, et une fois haussés à mi-ventre à hauteur de la travée, les cheveux plaqués par la sueur sur leur front terreux, les mains en sang, ils agrippent le premier barreau à la base du garde-fou et soufflent quelques instants, la joue posée sur le sol métallique encore tiède, puis l'ombre de Diderot s'allonge sur eux et vient les refroidir, il leur tend sa main, d'un geste puissant les soulève une dernière fois, l'un après l'autre, après quoi ils restent affalés quelques instants, épuisés, naufragés sur une plage, survivants, paupières closes, reprennent leur souffle, tandis que Diderot leur signifie sèchement qu'ils sont licenciés, ils iront récupérer leurs affaires dans leur casier puis passeront chercher dans les locaux administratifs une enveloppe pour solde de tout compte.

Trop tard. Soren aperçoit Alex qui l'attend au-devant des portes, le reconnaît dans la pénombre, cherche à reculer vers l'esplanade, jette des coups d'œil latéraux pour trouver une zone où se replier dans le noir, mais c'est trop tard, l'autre l'a vu et s'avance, lui fourre le sac dans les bras en lui chuchotant me dis pas que t'avais oublié notre petite affaire hein, c'est pour demain, tu as les instructions là-dedans. Soren trébuche aussitôt sous le poids du sac et pousse un cri, fait demi-tour en direction des vestiaires mais au même moment une main le saisit au cou : un conseil, pas de connerie. Soren se dégage d'un mouvement d'épaule puis se presse vers le baraquement des ouvriers, ceux qu'il croise en sens inverse hochent à peine la tête, aucun ne le questionne. Une fois à l'intérieur du bâtiment, il fonce à son casier, le déverrouille, y dépose le sac, au dernier moment le dézippe, y plonge la main, tâte une feuille blanche pliée en quatre, la fourre dans sa poche, referme tout et fonce jusqu'au car qui attend au-dehors. Plus tard, assis seul à l'arrière la tête contre la vitre, il reprend sa respiration – comment avait-il pu croire qu'ils avaient laissé tomber le sabotage –, profite de la loupiote pour lire la feuille tapée à l'ordinateur, blêmit, le sac contient quatre cartouches de dynamite de sept kilos, équipées de ventouses – aucun suintement de nitroglycérine, les explosifs sont stabilisés, sûrs –, les cartouches devront être collées contre les quatre côtés du pilier amont de la tour Edgefront, à l'endroit où sa base s'amincit, afin que la tour entière devenue unijambiste vacille complètement, et leur explosion sera déclenchée en actionnant depuis la rive un détonateur programmé – pas de système d'allumage séquentiel, pas de système à retardement – en forme de télécommande, ce qui permet d'agir au dernier moment.

Évidemment, il pense à fuir – rien de plus simple, il rentre à sa piaule, fait son sac, attrape son fric et disparaît dans un car de nuit qui descend vers le sud, n'importe lequel et personne n'en saurait rien – mais renonce, certain qu'ils le retrouveront, ces gars-là retrouvent toujours tout le monde et s'ils le retrouvent ils le tueront, il est prévenu. C'est pourquoi, cette nuit-là – belle nuit d'ailleurs, les odeurs de vase et de terres détritiques rappelaient maintenant que Coca était bâtie sur une terrasse alluviale, vivier grouillant de vers et de ragondins –, il ne change rien à ses habitudes, passe faire un billard dans un rade d'Edgefront et rentre chez lui.

Difficile de décrire la journée qui suit quand chaque geste, chaque parole, chaque intention est oblitérée par le projet de sabotage à venir, par la conviction d'une précarité telle que plus rien n'a vraiment d'importance, comme si le futur n'était plus qu'une auréole incertaine, le trou de la cigarette dans la pellicule, désagrégeant le temps. Soren flotte, cotonneux. Il a gagné la plate-forme Pontoverde une demi-heure avant le retentissement de la première sirène afin d'être seul au vestiaire. Quand il ouvre son casier, le sac lui saute au visage comme une bête féroce : c'est un petit sac à dos de randonnée de couleur noire, le poids d'un enfant de huit ans. Il y enfourne un casse-croûte, un pull, et se rend sur le quai au départ des navettes s'efforçant que sa silhouette ne plie pas sous le poids, veillant à ce que cette masse bossue dans son dos n'altère pas sa démarche, et laisse inchangée l'expression de son visage.

Il est presque minuit sur le site d'Edgefront, et Soren attend que disparaissent les derniers feux de la navette qui rentre vers l'esplanade. Il n'a pas eu besoin de prétexter un quelconque oubli à l'intérieur d'un caisson et de dire aux autres de ne pas l'attendre, qu'il remontait et prendrait le prochain bateau, non, il n'a rien dit, car personne ici ne lui demande rien – et il y a fort à parier que Diderot lui-même, qui prétend connaître chaque type du pont, serait incapable de le héler par son nom voire de le reconnaître s'il venait à le croiser hors du chantier – et de même, personne n'a remarqué le sac duquel il a tiré ostensiblement un sandwich et une bouteille d'eau à la pause, faisant voir à l'intérieur un amas de vêtements sombres. Pour l'heure, Soren a froid. Il grelotte sous la pile, quelques pas en retrait, et la nature gronde, le flot est gros, chaque son amplifié par la présence de la colonne de métal dressée derrière lui. Une fois seul, tandis que les responsables de sites rentrent dans leur cabine – un Algeco avec bouilloire –, s'accordent une pause en attendant la fournée de travailleurs suivante, Soren, totalement vêtu de noir maintenant, s'active à placer les cartouches de dynamite autour du pilier amont qui à cette hauteur est armé de béton, veille à demeurer plaqué contre les parois, dans l'ombre de la tour, quand le reste du site est éclairé comme une fête foraine, un bal de village, des loupiotes en guirlande, il n'a jamais accompli ces gestes mais a étudié les schémas sur la feuille, et de fait, c'est tellement simple. En moins de trois minutes les cartouches ventousent le pilier, Soren halète sous sa capuche, ramasse le sac, le prend sur l'épaule, et, silhouette camouflée fuyant déjà, il se tourne vers la rive brunâtre d'un aspect grumeleux : il a cinquante mètres à parcourir dans le fleuve. Une brisure dans le terrassement de la pile, une entaille d'un mètre de largeur, Soren s'y accroupit pour se mettre à l'eau en silence, terrifié à l'idée que le bruit de ses éclaboussures spécifiques – un corps d'homme pénétrant un liquide –, démultiplié à cet endroit, puisse alerter les responsables de sites qui dans quelques instants remettront leur casque

271

à lampe de spéléologues et sortiront accueillir le nouveau contingent d'ouvriers, tandis que de l'autre côté du fleuve, au vingt-septième étage d'un building riverain, le Français et sa clique ouvrent maintenant des bouteilles de champagne, remplissent des coupes de cristal, et s'approchent de la baie vitrée, prêts pour le feu d'artifice.

Soren est entré dans le fleuve jusqu'à la taille, l'eau est si froide qu'une douleur de crampe lui a écrasé les tibias, pénétrant ses os, gagnant, il en est sûr, la moelle, corrodant ses forces, il suffoque, ne peut plus bouger et reste une bonne minute sans pouvoir lâcher prise, sans pouvoir s'élancer. Ce sont les éclats de voix derrière lui qui le précipitent dans le flot fuligineux, il y tombe, étouffe un hurlement au prix d'un effort gigantesque, s'y maintient tête hors de l'eau sans vraiment de coordination, tel un chien en panique passé par-dessus bord, puis réussit à se calmer, s'accoutumant à la température, et reprenant ses esprits, calant sa respiration sur les mouvements de son corps, il commence à nager vers la berge, en silence, s'immergeant totalement à intervalles réguliers dans le courant qui le déporte vers l'aval. C'est alors que l'excitation et la peur, le fait d'être englouti mais conscient, lui font croire qu'un animal de forte corpulence nage à ses côtés, il perçoit sa masse et sa puissance phénoménale, ce sont de nouveaux courants sous-marins qui l'accompagnent, il sort la tête de l'eau sans rien voir que le fleuve réglisse qui l'enserre et au loin, les feux de la navette qui revient avec les équipes de nuit – et sans doute qu'à l'intérieur ça déconne sec, ça fume un dernier clope, ça rêvasse –, il replonge mais de nouveau la bête est là qui l'escorte et le frôle de sa fourrure très drue, une bête colossale qui pourrait bien être un ours, l'ours d'Anchorage, elle est sauvage, elle a faim, chasse de quoi se sustenter, il délire, et accélère, sans pouvoir se retourner ou biaiser un œil sur le flanc tant la terreur le paralyse, il entend un grognement dans son cou et manque de couler net – il n'est point de pire trouille qu'une mâchoire ouverte dans un dos –, la berge se rapproche maintenant et les lumières d'Edgefront plaquent sur l'eau de grandes lucarnes dorées où surgit dans le même temps la gangue végétale qui pousse sur la rive : de hautes plantes raides, hérissées noires et affûtées, des lances, elles font barrage, retiennent inexorablement Soren en deçà de toute vie humaine, il accélère, jusqu'à toucher terre, empoigne une racine, se tire hors du fleuve et s'affale dans une anfractuosité de boue, l'ours a disparu, il respire, crache, à demi mort, et maintenant il doit encore sortir la télécommande de son étui étanche et appuyer sur la touche qui va tout faire péter, il est à bout de souffle, fourrage dans son sac, bavant de la bile, ne voit rien, des gouttes perlent stalactites sur la brèche de l'arcade sourcilière, obstruent ses narines, bouchent ses oreilles, il s'active le corps secoué par des informations contraires – il est vivant, il est mort – les doigts gourds soudain contre le petit

boîtier de plastique sec, grelottant violemment
– des secousses qui le disloquent –, il accommode
son regard sur la pile où il n'est pas encore de
mouvements. Le bateau des ouvriers a passé le
méandre, il se présente de face, commence à
ralentir. Sur le site d'Edgefront Tower, toujours très
éclairé, et comme joyeux, trois hommes sortent
nonchalamment, s'avancent au-devant du quai,
ils croisent les bras sur le ventre et se tiennent là,
cambrés dans l'attente, comme des acteurs pris
dans la poursuite du théâtre, Soren n'a jamais
entendu le son de leur voix mais il peut voir le
rose de leurs joues, la vapeur qui nuage au sortir
de leur bouche, trois petits bonshommes au travail
qui parviennent au bord du fleuve, le bateau est
encore à soixante mètres, il faut appuyer, c'est
maintenant.

de l'autre côté de l'eau

C'est une gosse de trois ans à peine, la petite Billie, qui découvre le corps de Soren cinq jours plus tard, sur un terrain vague derrière le terrain de foot d'Edgefront, où elle traîne une peluche à la main, livrée à elle-même.

Billie aime beaucoup cette friche herbeuse, cabossée, aux bordures sales, de plus en plus souvent la réclame, et ce matin, alors que Katherine l'habille debout sur la table de la cuisine avant de partir au chantier, alors qu'elle ajuste l'élastique de sa jupette jaune canari, l'enfant saisit son visage dans ses petites mains si douces et lui déclare, je veux aller au jardin, si volontaire que Katherine suspend ses gestes, admirative, la regarde puis la serre contre elle, chuchotant dans son cou, promis mon crapaud tu vas y aller aujourd'hui. Après quoi, reposant la petite au sol, elle file dans la chambre des garçons, Liam est déjà parti au collège mais Matt dort – il est encore rentré tard la veille. La chambre pue, une odeur de bestiaux. Katherine s'assied sur le lit et remue Matt par l'épaule, réveille-toi ! Il pousse un long gémissement, et comme elle continue à le secouer, la repousse, les yeux clos – elle sent qu'il est presque aussi fort qu'elle à présent – puis bascule sur le flanc côté mur, mais alors Katherine s'obstine, elle marche à la fenêtre et tire le rideau, des flots de soleil balayant la pièce révèlent amoncellements de vêtements bouchonnés, indistincts, baskets usées, slips sales, livres et classeurs scolaires mal tenus, emballages de biscuits, bouteilles de soda vides et miettes sur le tout et Katherine découvrant ce désordre, cette crasse, a un haut-le-cœur, se demande depuis combien de temps elle n'est pas entrée là et lui revient en boomerang que Liam fait désormais ses devoirs sur la table de la cuisine et n'entre là que pour dormir. Le sentiment de sa culpabilité, plus encore que cette piaule, la met en rogne. Elle revient au-dessus du lit, secoue Matt de nouveau, fort cette fois, un ébranlement dans lequel elle met toute sa colère, réveille-toi salopard ! N'obtient qu'un lourd ronflement. Déchaînée, elle fonce à la cuisine remplir une cruche d'eau froide et revenue dans la chambre la balance sur la tête de Matt qui se dresse d'un bond gueulant argh ! putain tu me fais chier ! espèce de folle ! Haussé sur les coudes, il ruisselle, les cernes cireux, la bouche grise, le teint brouillé, sidéré de voir sa mère qui se tient droite et immense au pied du lit, sa cruche à la main, et de l'entendre le mitrailler en ces termes : tu as dix minutes pour te lever, après quoi tu vas me ranger cette piaule où ton frère ne peut même plus se tenir, quand je rentre ce soir je veux que ça soit nickel, et cet après-midi, au lieu de sécher les cours, tu vas te rendre utile, tu emmènes Billie au jardin après la sieste, je veux que tu t'occupes d'elle et que tu lui parles, je veux que tu joues avec elle, c'est clair ? Le garçon s'assied sur le rebord du lit, tête dans les mains, maugrée mollement ouais, et si je le fais pas ? Katherine hésite, puis, envoyant valdinguer la raison maternelle et ses devoirs d'éducatrice, répond entre ses dents : Matt, si tu le fais pas, je te pète la gueule. Elle claque la porte, jette un œil à sa montre et va retrouver Billie qui déjà regarde la télévision dans le canapé-lit à côté de son père endormi, passe une main dans ses cheveux bouclés, j'y vais ma fauvette, Matt va t'emmener jouer au jardin. La petite, absorbée par l'écran, ne répond rien et machinale, lui tend une joue que sa mère embrasse. Au moment de passer la porte de chez elle, Katherine sent qu'elle vacille, ses yeux la brûlent, ses jambes sont molles. Elle fait demi-tour et avale un grand verre d'eau à la cuisine, souffle longuement les bras tendus de part et d'autre de l'évier, puis revient à la chambre de Matt, pousse doucement la porte, le garçon est debout torse nu, il s'habille. Son corps change, il prend des épaules et a maintenant un torse de jeune homme, ce n'est plus un enfant. Matt, elle commence, Matt, je suis désolée. Le garçon enfile un tee-shirt sans la regarder. Je me suis énervée. Il lui tourne le dos, va ouvrir la fenêtre. Je te laisse dix dollars pour le repas de midi, d'accord ? Elle fait un pas vers lui, pose une main sur son épaule.

Son odeur aussi a changé. Il s'écarte, la main de Katherine retombe. Elle reprend alors d'une voix plus sûre, ok, prends soin de ta sœur. Et une fois sur le seuil elle entend le garçon qui marmonne c'est bon, t'inquiète. Plus tard, dans le bus plein de secousses, Katherine fond en larmes sans penser à rien, et à sa voisine qui l'interroge du regard – une très jeune femme pleine de sollicitude – elle répond simplement je suis fatiguée.

Quand Matt arrive sur le terrain vague, une fille est là, vautrée dans l'herbe, qui l'attend avec des bières. C'est quoi ça? dit-elle en désignant Billie dans la poussette, canari à lunettes roses en forme de cœur. Ça, c'est ma petite sœur! Matt délivre Billie qui saute de la poussette. La fille fait la moue, déçue, je pensais qu'on serait tranquilles, j'aime pas trop les gosses, et Matt s'empresse de lui répondre, ça va, elle est pas chiante, tu verras, déjà il l'embrasse les yeux fermés en lui palpant les seins, et Billie s'éloigne en silence.

Au début, la petite fille se promène, ramasse des mégots de cigarettes, boit les dernières gouttes aux canettes de bière qui traînent, s'accroupit pour cueillir des pissenlits. On ne sait pas ce qu'elle se raconte, il semble qu'elle se parle, errante au soleil, enjambant les carcasses de vélos rouillés, les bidons d'essence crevés à la carabine. Bientôt elle tripote une semelle, délace une chaussure, tire sur une chaussette, gratte la peau qui apparaît avec un petit bâton de bois – elle s'applique, sa petite langue rose sort entre ses lèvres pincées –, tout en chassant les mouches en vol stationnaire, nombreuses ici, et bruyantes, puis derrière la jambe, elle aperçoit une autre jambe, la même chaussure et la même chaussette, et relevant les yeux découvre le reste du corps. Elle reste debout un long moment, au-dessus de la tête où la moitié du visage a disparu sous une croûte noire. Billie, étonnée, se penche pour demander hé, est-ce que tu dors ? tu dors, oui ? Sans réponse, elle entreprend de coiffer la tête qu'elle fait jouer de droite à gauche pour la décoller du sol et saisir les mèches de cheveux sur l'arrière du crâne, mais au premier décollement, un essaim de mouches enfle, très dense, et l'enserre comme les mailles d'un filet, la petite se cache le visage, regarde ses doigts pleins de pâte brune, ne comprend rien, et pile à cet instant, Matt débraillé l'attrape par le poignet en s'exclamant, oh merde ! Ils reculent. Le garçon épouvanté observe le corps, puis regarde sa sœur, la petite est dégoûtante, les mains ensanglantées, il appelle la fille restée à l'autre bout de la friche, magne-toi, et quand elle arrive à son tour devant le cadavre, Matt lui hurle, prends la petite, prends-la, mais la fille voyant les mains de Billie pousse un cri en s'écartant, t'es dingue, elle est pleine de sang ! Alors Matt assied Billie par terre avec brutalité : lève les mains, ne bouge plus, reste comme ça t'as compris ? Aussitôt, Billie fond en larmes, puis son visage se déformant lentement, elle se met à hurler tandis que Matt s'avance de nouveau au-dessus du corps, chassant les mouches lui aussi, c'est un carnage, seules les jambes sont intactes quand la tête, l'abdomen, et tout le dos, sont lacérés, déchirés, une dévastation.

La bombe n'avait pas explosé. À moins que, finalement, personne n'ait appuyé sur le détonateur. Court-circuit dans la télécommande, mauvais montage électrique, ou défection de dernière minute. Les packs de dynamite étaient restés collés contre le pilier avant d'être repérés peu après l'arrivée des hommes de la troisième tranche horaire. Du haut de leur building, postés en rang d'oignons le long de la baie vitrée et regardant leur montre, ne voyant rien venir, les commanditaires associés s'étaient impatientés, et finalement le Français avait crié, putain, il m'a baisé, et tandis qu'Alex assumait son échec, coupable d'avoir fait le choix d'un tel cave et d'avoir piloté l'action, il avait lancé la chasse.

Au pied de la tour Edgefront, après un bref moment de panique, une fois les explosifs neutralisés, les gars avaient appelé Diderot qui aussitôt avait rallié le site, avant de passer le reste de la nuit à examiner ce dispositif, qu'est-ce que c'est que ce bazar ? La quantité de dynamite était étonnante mais le système d'allumage rudimentaire. Un travail d'amateur, il conclut.

Soren, lui, avait détalé depuis longtemps, grelottant dans ses vêtements trop lourds, trempés de flotte fangeuse et de boue, épouvanté, ne sachant plus si oui ou non il avait appuyé sur le bouton de la télécommande, juste qu'il avait balancé le boîtier dans le fleuve, et avait foncé, cherchant un abri pour la nuit, sûr que s'il rentrait chez lui, la clique du Français saurait l'y trouver, avait couru à perdre haleine en direction de la forêt, ultime refuge à sa mesure, il saurait y survivre, une révélation, happé par l'odeur des bois, progressant le long d'une route éteinte, de plus en plus véloce à mesure que la forêt approchait, de plus en plus heureux de retrouver sa place, mais soudain à l'orée du massif des phares qui s'allument, des faisceaux qui le capturent, des hommes qui sont là et lui barrent le passage. Un grognement sauvage qui se fait entendre. Il manque un ours dans le zoo de la ville.

Vers la mi-juin, il fallut encore accélérer. Diderot se caressait la mâchoire devant les calendriers et plans de travail et l'intérieur de sa bouche se couvrait de plaies. Les hommes de Pontoverde le harcelaient maintenant, des appels téléphoniques quotidiens, des messages annonçant que l'on avait dépassé les prévisionnels de l'ouvrage et que le seul moyen de ne pas perdre d'argent était de réduire la durée de l'ultime phase des travaux.

Les tours étaient prêtes, solidement enfoncées dans le lit du fleuve, puissamment maintenues dans leurs gaines de béton, mais elles avaient beau être hautes et rouges – une peinture acrylique élaborée pour respecter les normes de la qualité de l'air – elles étaient stupides, ne signifiaient rien d'autre que l'absence du pont à venir, c'était le principal qui manquait : le tablier qui permettrait d'aller de son pas de Coca à Edgefront.

Faut y aller maintenant, faut passer de l'autre côté de l'eau ! Voilà ce que l'on entendait quand on laissait traîner ses oreilles dans les bureaux de la plate-forme, dans les vestiaires, sur les parcours de jogging aménagés le long des berges – les coureurs en profitaient pour souffler mains sur les hanches, rougeauds, certains sautillant toujours comme possédés par la danse de Saint-Guy, et discutaient de l'avancement des travaux entre deux reprises de respiration. Mais au fond, plus que l'urgence, plus que les délais à tenir, c'était l'imminence de la dernière phase du chantier, celle du câblage et de la pose du tablier, qui excitait les hommes du pont, la population de la ville et les quelques chroniqueurs de la Côte qui jetaient de temps à autre un œil sur ce qui se passait à Coca : tout prendrait bientôt un sens, tout se réaliserait, enfin. Pour Diderot, en revanche, il n'était nul achèvement : cette phase venait prendre sa place comme expérience neuve, il s'agissait encore une fois de se porter en avant, de courir son risque, en un seul élan, et les câbles incarnaient à merveille cette situation nouvelle.

Nous allons mettre en place un jeu de tensions phénoménal, un système magique de transmission des forces, nous allons toucher la délicatesse même! Diderot filtre ces commentaires entre ses dents tandis qu'il dessine des schémas sur le tableau, traçant des fléchettes dynamiques (des → et des ↓) sur des F majuscules, et ceux-ci bientôt se font slogans, portés d'une voix claire : le pont suspendu c'est le nec plus ultra de l'ingéniosité humaine, de la débrouillardise, une affaire de répartition des puissances et des masses, le génie de l'équilibre sans quoi il n'est que de la fatigue et de l'usure, des tiraillements, des effondrements, de la laideur. Il déborde d'appétence, les ingénieurs adorent – se remémorent leurs années de maths spé, les problèmes et les colles, les expériences sur les paillasses glacées, l'eau froide et sale au fond des lavabos, la blouse grise, revoient encore le halo de leur lampe de bureau sur les copies doubles à carreaux, ce cercle jaune découpé dans l'obscurité de leur piaule, la tête inquiète de leur mère dans l'entrebâillement de la porte, tu trouves ? tu as bientôt fini ?, couche-toi !, et la fête que c'était de résoudre le problème dans le creux de la nuit, la perception soudaine de leur intelligence nue quand ils chopaient la courbe du pont suspendu, définissaient la fameuse chaînette, le cosinus hyperbolique, se frottaient les paupières une fois établie la formule –, et tous ont soudain le sentiment d'être parfaitement à leur place, tous, y compris Sanche et Summer qui assistent côte à côte à ces réunions et se jettent des coups d'œil complices, moqueurs, devant les cabotinages de Diderot.

En réalité, Diderot a beau célébrer la souplesse d'un hamac et la légèreté d'un nid, c'est encore de labeur qu'il s'agit. Une tuerie. La haute technologie revisitant la geste archaïque des fileuses de quenouille, puisqu'il s'agissait en gros de filer les tendeurs exactement comme on file la laine au rouet, travail spécifique des câbleurs qui durait déjà depuis plusieurs semaines. L'architecture prévoyait que deux câbles principaux, passant au sommet des tours comme la succession de deux crêtes géantes, relieraient la structure à chaque rive du fleuve. Il fallait donc créer deux cordes titanesques, composées chacune de vingt-sept mille cinq cent soixante-douze brins d'acier galvanisés, répartis en soixante et une bottes de fils et assemblés par torsion en hélice autour d'un axe longitudinal. On rassemble, on tord ensemble, après quoi, on compresse le tout pour l'arrondir. Une fois créé, l'énorme toron présente tout de même près d'un mètre de diamètre, et mesure deux kilomètres et demi, c'est un lasso propre à capturer la Grande Ourse – un journaliste du *San Francisco Chronicle* établit que mis bout à bout, ces fils d'acier peuvent ceinturer trois fois la Terre à hauteur de l'Équateur, et c'était ce rapport-là, cette échelle de proportion, qui inspirait désormais la politique municipale du Boa. Il jubilait, la résille du pont était bien le filet dans lequel il avait pris la ville, un étoilement arachnéen où chaque nœud reconduisait son influence, augmentait la pression de ses désirs et de ses ambitions, il prévoyait de grandes fêtes pour l'inauguration et désormais comptait les jours.

De nouveau les équipes gonflées d'acrobates où les Indiens se taillent la part du lion, de nouveau les agences internationales qui moulinent leurs fichiers rabattant encore sur Coca une main-d'œuvre spécifique, calibrée, des ouvriers équilibristes, hommes tout-puissants que l'on a bien du mal à tenir une fois sur place – ils carburent au défi, se confrontent à la mort avec l'innocence trouble de ceux pour qui œuvrer à ces hauteurs était aussi simple que boire un verre d'eau ou se laver les dents –, mais ils travaillent comme des dieux, câblent le pont avec justesse les deux longues chaînes principales d'abord, puis les deux cent cinquante paires de tendeurs verticaux, une tous les vingt et un mètres, de sacrées pinces à linge, élaborant au fil des semaines un étonnant système de bretelles d'une masse totale de vingt-cinq mille tonnes, et capable de porter, en la stabilisant, une travée qui en pèserait cent cinquante mille.

Des reporters rappliquent, des gars malins qui eux aussi veulent capturer l'image spectaculaire, la nana casquée en soutif faisant bronzette à la pause, bière à la main, assise au-dessus du vide, le type qui décollette son sandwich et regarde l'objectif, moucheron hilare sous le ciel en cloche, des alignements de chaussures en gros plan avec le fleuve loin au-dessous, craquelé comme une peinture à l'huile, la glaçure d'une poterie, mais il n'était plus temps de faire les singes, les marsupiaux, Diderot gueulait maintenant, furibard, les compteurs tournaient, encore quelques semaines à tenir, restez concentrés – quand lui-même tâtonne dans un sfumato de photographies sépia et d'éclats de piécettes : toujours le cap Sizun et les falaises, les promenades dominicales, les élégantes en chapeau malmenées par le vent, et un retraité de la Marine nationale qui les prend dans ses

bras en berceau, les soulève au-dessus du vide
à un endroit précis de la pente rocheuse, et les
maintient là, le temps que son acolyte, derrière
la chambre photographique, saisisse l'image terri-
fiante et trompeuse, une petite affaire qui marche
bien, les cris des femmes tramés dans ceux des
mouettes, et Diderot en culotte courte qui observe
ce charivari derrière une motte de boue herbeuse,
prêt, surtout, à filer ramasser le chapeau de la
dame.

Bientôt, une passerelle relie la rive de Coca à
celle d'Edgefront, une suspension provisoire dont
la ligne jouait dans l'air comme l'âme du toron, le
fil intérieur autour duquel se déploierait l'ouvrage.
Le soir où elle fut établie, des ouvriers s'avancèrent
depuis les deux rives du pont, comme c'était la
coutume, et firent péter des bouteilles une fois
établie la jonction des équipes, ils n'en revenaient
pas, la suspension bougeait, le vent bruissait sous
les casques, mais putain on pouvait maintenant
traverser, il y eut des cris, et puis enfin, chacun
repartit de son côté, la plupart titubant.

Ce même soir, heureux, Georges appelle Katherine : viens, on va se faire une traversée. Sa voix se
perd dans le silence d'où reflue une réponse sans
conviction, d'accord. Ils se donnent rendez-vous
côté Edgefront, à l'endroit où ils s'étaient quittés
la dernière fois. Diderot, au volant de l'Impala,
attend Katherine qui finit par arriver, marchant
vite, tête baissée, une allure nerveuse qui ne lui
ressemble pas, prend place dans la voiture, et sans

même le regarder, ordonne en route, cassons-nous d'ici! Ils approchent du fleuve, et traversant le vieux Golden Bridge qui vit ses derniers jours, atteignent Coca. Ça va? Diderot l'interroge, quand Katherine, baissant la vitre, se déporte au-dehors. Les cendres voltigent dans la voiture, ils filent vers le chantier. Qu'est-ce qui se passe? Il insiste, présente son badge au portail électronique et plus tard, face à face au-dessus du capot de la voiture, il discerne enfin le visage de Katherine : une auréole sombre en forme de croissant, pointe de la pommette à l'arcade sourcilière. Il ne dit rien mais pose une main sur ses reins, l'entraîne sur le quai. Le trajet leur semble interminable, ils accostent délicatement sous le pont et gagnent l'entrée Coca de la passerelle en gravissant les berges, hautes à cet endroit, et coffrées de plaques de béton entre lesquelles un petit escalier rudimentaire est aménagé. Diderot déverrouille la double porte grillagée et les voici qui s'engagent sur le *catwalk* provisoire. Il fait nuit, leurs pas résonnent sur le plancher amovible de lattes métalliques. Alors, c'est bientôt fini? Katherine demande, et Diderot répond, oui, cela va aller vite maintenant, on aura fini mi-août. Elle ne réagit pas, le questionne sur la pose prochaine du tablier, et Diderot précise, technique, deux solutions étaient en concurrence, toujours la fameuse controverse *concrete vs steel*, et finalement la solution d'un tablier orthotrope en acier plat avec deux pouces de bitume époxy de nivellement avait été adoptée, la question du poids de la travée étant cruciale. Katherine faussement enjouée acquiesce, elle est ailleurs, Diderot s'agace : bon je peux savoir ce qui se passe ? Au-dessous d'eux, les derniers bacs usinent d'une rive à l'autre, bondés de silhouettes laborieuses serrées les unes contre les autres. Ça ne va nulle part cette histoire entre nous. Elle regarde ses pieds. Diderot marque un temps d'arrêt, s'attendait à tout de la part de cette femme, à tout sauf à ce que cela puisse se déballonner de la sorte, il lui indique l'extrémité du pont, j'avais plutôt le sentiment qu'on allait quelque part. Visage de Katherine qui s'éclaircit – il peut le voir, même dans la nuit –, c'est vrai, elle précise, on marche vers Edgefront, et c'est chez moi là-bas. Diderot se radoucit et alors ? On peut traîner encore, on fait ce qu'on veut non ? Non, Katherine, se braque, moi je ne fais pas ce que je veux, je ne vis pas comme ça. Je sais, Diderot hausse les épaules, je sais, mais elle se ferme, dure, je ne crois pas que tu puisses savoir. Ils sont immobiles. C'est à cause de ton mari, de tes enfants ? Il est agressif, furieux contre elle en cet instant, furieux d'avoir prononcé ces mots. Elle n'a pas bougé, déclare simplement, rien à voir, je suis libre figure-toi, et j'aime ma vie. Elle sort une cigarette que Diderot lui allume d'un geste sec, une risée bute contre la passerelle, il ne la regarde pas, s'adosse au garde-fou, bon, qu'est-ce qu'on fait ?, soudain pressé d'en finir avec elle, soucieux d'éviter l'envasement, les discussions interminables trouées de silences collants, la banalité triste, tout cela alors qu'ils sont sur leur pont, ensemble, putain, pas n'importe où, et soudain, au bout d'un long silence il déclare, joueur, ok, viens vivre avec moi. Elle rit aussi-tôt, un rire radieux, mauvaise option, je suis une teigne, il sent qu'il la retrouve, de joie la prend dans les bras, l'attire contre lui, je suis au courant, passe un pouce sur sa tempe tuméfiée – la veille, elle n'a pas su esquiver l'agrafeuse de métal que Lewis lui a jetée à la figure, alors qu'elle prenait la défense de Matt accusé par son père d'avoir piqué du fric, une manie chez lui de saisir les objets à sa portée et de les lui balancer au visage, mais cette fois Liam avait surgi menaçant son père d'un couteau, je vais te tuer, aussitôt maîtrisé par Matt, ils hurlaient, des dingues, et après avoir appliqué un chiffon d'eau froide sur sa tempe dans la salle de bains microscopique, Katherine était revenue leur dire, maintenant on se reprend, on n'est pas des victimes, avait répété, lançant un regard appuyé à Lewis il n'y a aucune victime dans cette pièce, et plus tard, alors qu'elle fumait sous l'auvent de la baraque dans un rocking-chair au bord de la rupture, tandis que Billie habillait sa Barbie pour un bal, Lewis lui avait dit très calme qu'elle était libre de partir, et elle l'avait regardé dans les yeux en haussant les épaules, je sais.

Diderot et Thoreau ont recommencé à marcher, tu m'as fait peur lui murmure Diderot quand ils touchent Edgefront, moi aussi j'ai eu peur, répond Katherine.

Entre Market et Colfax, il y a California, voie parallèle plus étroite et concentration, en sa zone médiane – à hauteur de City Hall –, de pubs, bowlings, bars – toujours de grandes salles avec des écrans géants placés en hauteur contre de faux lambris acajou, toujours la même obscurité aux éclats de cherry. C'est dans ce périmètre que Sanche surgit vers une heure du matin, les nuits où il a travaillé. Il pousse la porte de La Scala ou de Sugar Falls, avise un barreau de tabouret sur quoi se dresser, le cou en périscope, puis ayant localisé la table, rejoint Seamus et Mo, deux ou trois autres – et parfois même Summer. Il a attendu ce moment toute la journée.

De la bière, des filles, un juke-box, le paradis ! C'est en ces termes que Seamus avait pris possession de la table la première fois qu'ils étaient entrés, quelques heures à peine après le vote des ouvriers en faveur de la prime, il y avait près de trois mois déjà, et Sanche faufilé derrière lui avait admiré sa nonchalance virile, l'autorité sexuelle qui émanait de son corps, on s'écartait devant Seamus, un mouvement de recul à peine perceptible qui accusait son aura, et dans ces lieux surpeuplés, personne n'eût songé à lui chercher des noises, nombreux étaient ceux qui, au contraire, comme Sanche, eussent aimé partager sa table – baptisée au bout d'une nuit « table de l'Irlandais » bien qu'avec ce dernier traînât maintenant Mo.

Sanche accourt à la table, zigzague dans la salle pleine et moite, parmi les fronts qui ruissellent, les bouches humectées d'alcool et d'allégations débiles, il y vient comme on se précipite tête la première dans le coffre du pirate, pour palper le trésor, faire reluire sa peau de l'éclat des pierres précieuses et tâter de leur tranchant sur la pulpe des pouces, il a des crampes dans le ventre, et l'abdomen douloureux à force d'impatience et d'appréhension, et à peine a-t-il salué à la ronde, le cœur soulevé pompant fort dans la poitrine, qu'il tire une chaise et s'assied, observant déjà ceux qui l'entourent, jubilant comme un malade d'être de leur compagnie, déraciné, arraché parmi ces têtes uniques au monde, à côtoyer leurs pieds calleux, Seamus, le renard des livres d'enfants, les joues crépues, les ongles longs, jaunes, épais, la peau dure, un aïeul débarqué à New York vers 1850 – famine irlandaise, cadavres humains pourrissant en grappes dans le creux des talus, hameaux qui se vident et que l'on abandonne –, sans éducation, sans talent, sans argent et qui migre vers le nord avec une boussole rudimentaire dans l'estomac, trouver de quoi vivre, une subsistance, c'est tout, ni un destin ni même un recommencement mais juste de quoi boire et manger, de quoi s'abriter et se vêtir, de quoi occuper la force de ses bras, après quoi la dispersion d'une descendance, les absences généalogiques, les trous dans les formulaires, les noms mal orthographiés qui sédimentent dans leur coquille, au bout de quoi cette tête sur le qui-vive, ce quelque chose d'hirsute et d'irréductible, et ces pieds qui reprendraient bientôt la route, rompus au consentement de la perte, définitivement excentriques ; et collé à son épaule, Mo l'intelligent, qui s'obnubile de l'écran comme d'un cloisonnement possible dans cette pluralité de milieux et de pistes, un espace de détente où prendre un peu ses aises, où relâcher son effort, une fille y ondule chevelure gonflée par une brise artificielle et peau renflée aux confins du bikini, elle est très blonde, en grande santé, il la scrute imperturbable, se tient prêt à décaniller dans la seconde, à obliquer ailleurs, sur un nouveau segment de droite, une nouvelle tangente, pourquoi pas l'Afrique ; et parfois, mais plus rarement, et convaincue par Sanche de rallier la table au prix de longues minutes de négociations téléphoniques, il y a Summer et sa queue-de-cheval coincée dans un triple tour d'élastique, Summer aux pieds froids qui se saoule avec méthode – qui vient là pour se saouler, ne sait trop quoi faire quand elle ne travaille pas –, s'empourpre quand charriée «miss Concrete», reflue contre le dossier de sa chaise quand Seamus avance vers elle sa face rugueuse et lui fait voir l'intérieur noir de sa bouche, t'arrêtes, elle lui dit sans sourire mais bientôt c'est elle qui rebascule en avant cherchant cette même bouche qui l'apeure, une oscillation qui lui tourne la tête plus encore que l'alcool et travaille à une cassure probable de la longe invisible qui la relie au pays natal, cette corde tendue à mort que Sanche avait tranchée brutalement, déployant un geste d'autant plus soudain que le processus pour l'accomplir avait été lent.

L'amorce en est un échange régulier, quoique convenu, qui dure tout l'automne, ce sont des lettres assorties d'appels téléphoniques, sa mère – et son père derrière elle – sollicitant invariablement des réponses positives à des questions qui l'indiffèrent – manges-tu correctement, es-tu bien considéré?, as-tu écrit à Augusta?, mets-tu de l'argent de côté? Des questions, des questions, toujours des questions. Comme si leur langage commun ne pouvait s'affranchir du régime de l'interrogatoire, questionner signant le rappel de son bon droit de mère, de sa légitimité imprescriptible à être informée de sa vie, à le posséder, répondre signant de même la preuve de son amour filial. Bientôt, Sanche qui sait leur conversation avant même d'avoir décroché le combiné, et n'en peut plus d'être sommé à la positivité, devient agressif, il raille, il engueule mais toujours bute contre ce mur qui a pour nom le souci radical de sa mère, ce parti pris forcené qu'elle a de lui. Il éclate en décembre : malgré ses efforts pour parler à ses parents de ce chantier, des gens qu'il rencontre – c'était le jour de Noël –, le voilà irrévocablement reconduit sur le sillon toujours plus étroit et pauvret de la réassurance. Sa mâchoire se bloque, il raccroche et désormais ne décroche plus – trop agité dès lors pour inventer la phrase qui exprimerait sans brutalité ne serait-ce que la plus petite part du plaisir si violent qu'il a à vivre ici, loin d'elle, loin d'eux. Il éprouve du remords, de la mauvaise conscience – la lecture de leur nom dans la rubrique message de son téléphone portable, la découverte d'une lettre ou d'un paquet dans sa boîte lui tasse soudain la poitrine, sa salive devient lourde, il transpire, épouvanté – mais de regret niet. Quelque chose est cassé. C'est la vie, pense-t-il parfois, lors des trajets quotidiens qui le conduisent chez lui.

Un jour de mars, pourtant, on vient le chercher dans les vestiaires alors que Seamus lui parle du chantier où il compte se rendre après Coca, une mine d'uranium au Canada et Sanche contrarié suit le messager à rebours vers le baraquement administratif, qui est-ce ? Le type répond, je ne sais pas, c'est une femme, et Sanche suppose logiquement qu'il s'agit de la propriétaire de son studio qui le poursuit sur son lieu de travail, une histoire de fuite d'eau qui ne le concerne pas, il grimace, le messager s'incline sur le combiné, je vous le passe, après quoi Sanche saisit l'appareil et reconnaît, très nette, comme si émise à un pas de lui, la voix de sa mère : Sanche, c'est toi ? Sanche se fige sans répondre. Sa mère est là. Elle a fait le voyage. Le sol s'ouvre sous ses pieds, gouffre de dimanches collants et viscosité de napperons de dentelle sur la télévision, la voix répète Sanche ? Sanche c'est moi, c'est maman, c'est toi ? Encore une fois il lui faudrait répondre oui – oui maman, oui c'est moi –, mais Sanche ne veut plus de question, ne veut plus de oui, alors articule sans trembler non, ce n'est pas moi, mais la voix réattaque, à la fois plus forte et plus fragile, Sanche ? Sanche c'est toi ? et Sanche reprenant une dernière fois sa respiration déclare très distinctement, approchant sa bouche du combiné et modulant presque malgré lui une voix définitive, non, non madame, non, je ne vous connais pas, coupe la communication de l'index, raccroche lentement le combiné, pivote, et maintenant fonce dans le couloir se cognant contre d'autres au passage, dévale le petit escalier, traverse l'esplanade, courant à perdre haleine vers les vestiaires, courant de toutes ses forces, rien n'est plus urgent à cet instant précis que rejoindre Seamus, et Mo, les autres gars du chantier, et quand il aperçoit leurs silhouettes de dos quittant la plate-forme, il accélère encore jusqu'à monter dans le bus et se mêler à eux, très agité, le cerveau telle une cuve pleine sur un bateau qui tangue, cuve de méthane ou de pétrole, cuve hautement inflammable en tout cas, et dès lors se forme en lui l'intuition nouvelle que quelque chose d'extraordinaire va lui arriver maintenant, va se produire, là, dans quelques jours ou dans quelques secondes : à présent rien n'est irrévocable puisqu'il n'est plus de souche, tout est à portée de main.

Ce qui lui arrive, ce qui se place à portée de sa main au retour des beaux jours, pourrait bien être Shakira, par exemple, elle aussi oiseau de nuit, elle aussi les pieds puissants et le corps idoine, allant dans la ville telle une boule de neige, chaque jour plus épaisse et plus friable que la veille. Quand elle débarque un soir de mai à La Scala ou au Sugar Falls, elle n'a pas besoin de grimper sur un barreau de chaise pour voir qui est là, il lui suffit d'un coup d'œil pour débrouiller les silhouettes agglomérées, au sein desquelles elle reconnaît Sanche, se souvient de l'aéroport et de la baignade dans le fleuve – ce n'est pas lui qu'elle cherche et qu'elle voudrait tuer en cette seconde, mais sa table offre un but à rallier, elle s'y dirige. Sanche manque de tomber par terre quand il la voit s'avancer comme s'ouvre lentement le couvercle du coffre, le voilà, le trésor du pirate.

Summer marche en direction des quais, progresse d'un bon pas dans l'aube pleine, peau brillante nuque fraîche, fille optimiste qui déborde d'appétence ce jour m'appartient et je danse pour lui blablabla, elle est régulière, va sans forcer, traverse les carrefours dans la diagonale pour ne pas dévier de son idée première : aujourd'hui je passe de l'autre côté de l'eau.

En moins de vingt minutes, elle a gagné les berges : le ciel est large, soudain, évasé comme une vasque, la clameur force et la lumière blanchit. Summer gagne l'embarcadère, là, un distributeur automatique, elle y achète une bouteille d'eau sitôt vidée d'un trait coude levé à la verticale, elle a transpiré, prend place dans la file brève de ceux qui attendent d'acheter le ticket du passage, et une fois acquitté le prix de la traversée, passe à son tour la coupée de tôle, saute dans la barge et, suivant le flot des embarqués, se retrouve dans une grande salle moite et sonore, les vitres y sont sales, le plafond bas, l'odeur lourde. La plupart de ceux qui sont montés avec elle s'éparpillent sur les bancs et se calent contre les murs, menton sur la poitrine et bras repliés en oreiller, ferment aussitôt les yeux, ont travaillé durant la nuit dans les bars, hôtels, casinos, tripots et boîtes de la ville, s'écrouleront bientôt dans un lit défait, frissonnant, la chemise bouchonnée au pied du lit – col crasseux, cravate nouée juste desserrée et passée par-dessus tête, poignets déboutonnés d'une main lasse.

La sirène braille, l'embarcation opère un écart, et Summer se lève, longe les bancs, ceux qui ne sommeillent pas lui jettent un regard hostile, elle gagne le pont, cherche un poste d'observation, le trouve à la proue au-devant d'un pick-up chargé de pneus usés, deux types – Indiens, trapus, chapeaux de feutre noir à large bord, bijoux – fument des clopes et parlementent à voix basse, indifférents aux moteurs assourdissants, indifférents à l'odeur de pourri – bois, poissons, fruits – qui encolle le bateau. Summer veut profiter du spectacle, soit quinze minutes pour passer d'une rive à l'autre, elle le sait. À cette heure, le fleuve est mauve, langoureux, des plis larges et huileux, aucun miroitement. Elle regarde la ville qui s'éloigne doucement, se révélant tout entière à mesure qu'elle rapetisse, se penche sur les remous grisâtres qui coagulent et se dissolvent contre la coque, tandis que juste en face, dans un mouvement inverse, la forêt monte, monte, grosse et noire, dévore tout l'espace. Au moment pile où elle passe le médian du fleuve, soudain

proche de rien, loin de tout, son cœur se serre,
les larmes lui montent aux yeux une poignée de
secondes, l'odeur de fioul, pense-t-elle en fermant
les paupières, ça pue, ça va me filer mal au crâne
et souffle coupé soudain, elle manque de tomber à
la renverse. Une peur immense. Elle sait laquelle.
C'est dimanche sur le lac de la porte Dorée, en
lisière du bois de Vincennes. Une fin d'après-midi.
Elle a cinq ans. Ils sont quatre dans une barque.
Son père, sa mère, son frère et elle. C'est la fin
de l'hiver et il fait un soleil froid. Ils canotent.
Ils passent des temples, des grottes, des fabriques,
des rotondes. La lumière sur l'eau est magnifique.
Sa mère a des reflets dorés sur le visage et elle
ferme les paupières en souriant au-dessus de son
châle. C'est son père qui s'active. Il se penche en
avant, en arrière, à mesure qu'il replie puis tend ses
jambes, les rames maintenues avec fermeté dans
l'anneau des dames de nage. Ils vont lentement. Ils
glissent sur le lac. De légères éclaboussures voltigent dans l'air tandis que l'eau se plisse de part et
d'autre de leur embarcation. Tout semble facile,
beau. Il y a des rires doux dans l'air. La carte
postale parfaite d'un bonheur familial. La barque
s'appelle *Marianne*, comme sa mère. Ils ont été
contents d'avoir celle-là, c'est un signe, chérie, a
dit son père en tendant la main à sa femme pour
qu'elle embarque. La *Marianne* est rouge liserée
de bleu, badigeonnée avec cette peinture épaisse
qui laisse voir la trace des coups de pinceau et
les coulures solidifiées le long du bordé. Soudain
son père se lève au beau milieu du lac. Le bateau

vacille brusquement, sa mère pousse un cri, son père rit aux éclats et empoigne son petit frère par la taille. Il le soulève et le suspend au-dessus du lac. Sa mère ouvre des yeux immenses et balbutie qu'est-ce que tu fais, arrête. Son père rit, il joue, que tu es sotte. L'embarcation tangue par à-coups. Le petit garçon gesticule, ses mollets tout maigres et ses chaussures à lacets battent dans le vide, son père le fait aller et venir au-dessus de l'eau comme s'il allait l'y jeter. La petite fille est pétrifiée, collée à sa mère qui hurle à présent, hurle à son père qu'il est fou, quand lui se tient là, devant eux, immense, les jambes bien écartées au fond de la barque. Il rit en ouvrant grand la bouche. Alors une rame glisse de la dame de nage et tombe dans le lac. Son père repose le petit n'importe comment, jure, merde, puis se penche au-dessus de l'eau et tend le bras sans parvenir à rattraper la rame. Le bout de bois flotte un moment à la surface puis disparaît. En silence, ils se dirigent vers le débarcadère. Le soleil est tombé et il fait froid. Tout est sombre. Sur les berges, les arbres nus ploient vers eux des rameaux glacés. Sa mère enlace le petit garçon et retient ses pleurs en silence. Son père s'essouffle à faire avancer le bateau d'une seule rame. Il fatigue. La petite fille a peur qu'ils n'arrivent jamais. Une fois à terre, sa mère éclate en sanglots et balbutie des mots incompréhensibles. Son père soupire, la soirée est un désastre.

L'autre rive déconcerte Summer. La grande place qui donne sur le quai est encore dans l'ombre, et il y fait bien plus froid et humide qu'en face dans mai finissant. Une petite foule pauvre – surtout des Indiens – va et vient entre des étals minables, fruits et légumes cabossés, culottes à fanfreluches, outils d'occasion, coutelas et machettes piqués de rouille étalés sur de petits tapis tressés, fausses bouteilles d'eau minérale, le tout ennoyé dans une odeur de chou bouilli, de poissons gras et de savon. Çà et là, on touille des abats dans de grosses marmites en fonte chauffées sur des poêles de fortune, on les cuit à petit feu dans une sauce épicée, puis on les fourre dans un étui de gros pain arrosés de citron, dégueulasse pense Summer, écœurée, qui traverse l'esplanade, entre dans la première gargote – une mosaïque de canettes de Coca compressées tapisse la façade –, demande un café, le type derrière le comptoir la toise sans l'accueillir puis verse machinalement un jus amer dans une tasse en plastique, lui tourne le dos et reprend son journal. Summer regarde sa montre, bientôt sept heures. Elle jette un œil par-dessus son épaule et, par la porte entrouverte, observe le bac qui déjà s'apprête à repartir. L'excitation de cette virée «de l'autre côté de l'eau», comme tous disent ici, est retombée d'un coup, elle a froid, quelle idée d'être venue là, seule, sans plan, sans rien à y faire. Indécise, elle sirote son café bientôt tiédasse et, alors qu'elle comptait ses pièces de monnaie tête baissée dans sa paume ouverte, le type au bar l'apostrophe vous cherchez quelque chose ? Non, rien, c'est bon, je vais reprendre le bateau, elle remonte sa bandoulière sur son épaule, se tourne vers la porte, et dans son dos, le type poursuit alors ça ne vous dit rien ici, vous n'aimez pas ? Sourire railleur – émail translucide au bord de dents très jaunes et alignées au cordeau – que chicane un regard glacé, transparent comme un calot, Summer mal à l'aise s'apprête à sortir, se ravise et dit simplement, je cherche les sources de Sugar. Le type la rejoint sur le seuil de la gargote, vous prenez au fond de la place à gauche, la route qui monte, c'est tout droit jusqu'à la fin du bitume, vous êtes alors au belvédère, vous prenez encore à gauche par le sentier forestier, vous marchez un peu, c'est là. Sa voix se mélange aux bruits de la place, qui ont forci maintenant comme a grossi la foule, c'est l'ouverture du marché. Summer reprend, c'est long ? Une heure et demie de marche, le double s'il a plu. Ah. Summer regarde sa montre. Vous êtes pressée miss, hein ? Il la considère, sarcastique, mauvais. Vous êtes du pont n'est-ce pas ? Elle hoche la tête. Il sort de sa poche un paquet de tabac racorni, le roule à toute vitesse entre le pouce et l'index, enflamme un clope maigrichon, le cale dans sa bouche et lui balance sortez-vous de ce chantier, prenez le temps d'allez voir là-bas, ça vous secouera l'identité, Miss du Pont Cannibale.

Elle a acheté des oranges, du Coca et du pain, gravit la route en pente, le fleuve dans le dos, la forêt au-devant. Les petits immeubles de guingois et bâtiments de pierre qui bordaient la place du marché ont disparu, elle longe maintenant des maisons de bois enchevêtrées les unes dans les autres, certaines de forme et d'ambition complexes – pagodes chinoises, chalet suisse, chaumière du pays d'Auge –, la plupart carton-pâte western, les cloisons de traviole mais un luxe de détails décoratifs. À cette heure, les enfants claquent des portes, et courent sur la route, les cartables brinquebalant dans leur dos, des femmes en savates défraîchies les surveillent soulevant un rideau de crochet, et, soupçonneuses, dévisagent Summer qui épluche une première orange, on entend des chiens aboyer derrière les haies, l'air sent la lessive et les bébés.

Bientôt le soleil tape, le bitume chauffe sous les baskets, les maisons s'alignent de plus en plus pauvres, fenêtres murées, ou carreaux cassés, ordures, et la ferraille amoncelée çà et là dans des jardins en friche. Bientôt des camping-cars inamovibles aux fenêtres poussiéreuses alternent avec des cabanes de bois grossières, améliorées de pneus ou de bâche enduite de goudron, et toujours ingénieuses, la douche extérieure à travers une écumoire rutilante, un toit de planches clouées, un ou deux Solex désossés dans l'herbe, des jouets d'enfants en plastique rouge, jaune et bleu, un climat de baraques aux limites de la casse, une odeur de fer bouillant, les insectes surpris rebondissant sur de vieux essieux, instantanément grillés, finis les enfants, les cris. C'est la dernière portion du chemin maintenant. Inhabitée à première vue, pas une âme qui vive, mais la forêt comme une soufflerie, les racines de jeunes arbres qui défoncent le bitume, l'herbe infiltrée partout et les fougères à hauteur de la taille sur les bas-côtés de la route, les dernières cabanes, un magazine porno traversé d'une trace de pneu, oublié sur un replat caillouteux, les derniers déchets, encore des canettes, un tee-shirt bouchonné, des baskets crevées, enfin, une pancarte indique la terrasse du belvédère et Summer gagne un petit banc graffité de bites et d'insultes sexuelles, d'un numéro de téléphone ou deux. Elle s'assied le cœur battant, essoufflée, et soudain découvre Coca qui s'argente dans le soleil juvénile, de l'autre côté du fleuve, le brasillement métallique de Financial District, la blancheur éclatante de City Hall et le chantier du pont, elle peine à rassembler le paysage, une légère suffocation s'empare d'elle, malaise qu'elle reconnaît, se force à respirer lentement, des images passent – le Tigre qui ne donne plus signe de vie et dont le visage s'efface, les Blondes qui rigolent sur Skype en faisant de grands mouvements de cheveux, son père –, elle souffle de plus en plus fort, pensant il faut que je me récupère, sans y parvenir, submergée par sa cacophonie interne, déplacée, incapable de s'accorder à ce qui l'entoure, elle bascule en avant, crache au sol, enfin ferme les yeux. Puis relevant la tête, regarde Coca, regarde la lisière. Et soudain pénètre la forêt.

D'abord les sous-bois troués de puits de lumière en multitude, la fraîcheur qui tombe dans l'espace indistinct, puis l'obscurité.

Il fait nuit là-dedans, une nuit verte et humide,

une clameur de foire. Summer s'étonne que le chemin soit si large et la terre bien tassée, des traces de pneus, de pattes, de semelles, bientôt elle croise deux enfants qui se suivent sur des skates, c'est l'autoroute ou quoi ? Elle se sent bien, à présent, de nouveau sur pied après l'épisode des jambes molles au belvédère. Autour d'elle, des séquoias comme des pieux gigantesques, des fougères en masses compactes, des mousses fluo qui matelassent des racines, des joncs, larges, acérés, et partout sur le talus, des trous noirs – haut-le-cœur de Summer qui imagine y enfoncer sa main aussitôt happée par une bestiole préhistorique, mélange de sanglier et de loutre aux yeux rouges, un genre ornithorynque, qu'elle aurait réveillée. Peu à peu la forêt se densifie, la lumière ne passe plus sous la canopée, on se croirait au fond d'un aquarium, d'ailleurs Summer entend des bruits d'eau, virage, un rocher en forme de fusée qui lui rappelle ceux du bois de Vincennes, et tout de suite, l'odeur âcre d'un feu sur un replat de rivière, elle s'approche, deux types, debout un bâton à la main, surveillent une plaque de terre perforée de trous qui laissent échapper la fumée, l'odeur est lourde, de la chair ensanglantée est visible çà et là sous la chape de terre : Duane Fisher et Buddy Loo boucanent du gibier, et chiquent un tabac de leur récolte personnelle.

Ils reconnaissent Summer qui ne les reconnaît pas mais repère aussitôt sur leur peau assombrie le bracelet jaune étincelant qu'ils portent au poignet, un ruban de plastique à code-barres, siglé du logo de la compagnie, et bipé chaque matin à l'entrée du chantier, un sésame. Les deux gars se jettent des coups d'œil entendus, qu'est-ce qu'elle vient foutre ici Miss Béton ? Peut pas rester chez elle, « de l'autre côté de l'eau » ? Faut encore qu'elle se pointe ici comme une fleur, en touriste ? De quoi s'illusionne-t-elle ? Ils vont s'asseoir en tailleur autour du feu et croquer ensemble un bon morceau de bidoche en se racontant des blagues, comme s'il n'y avait pas une fille et deux mecs, une Blanche et deux autres, un Noir et un Indien, un cadre du pont et deux ouvriers pas même spécialisés que l'on avait affectés direct au nettoyage du chenal, autrement dit un ingénieur et deux éboueurs, alors quoi elle veut venir les voir de près ? Depuis quand les Blanches viennent boucaner avec des Noirs dans ce pays ? Buddy Low est prudent. Il a déjà eu des problèmes – janvier 2006, un vendredi soir par quinze degrés au-dessous de zéro, une fille est ivre morte sur le parking d'un bowling de Colfax, Woody's, Buddy la ramasse, la fille a vomi sur sa doudoune crème, ses yeux sont révulsés, il la hisse dans sa voiture, incline le siège, réfléchit, faut aller à l'hosto, aucune envie de garder cette nana en plein coma éthylique dans ma caisse, plus tard, à l'hôpital, il signe les registres et décanille mais, dès le lendemain, les cops déboulent chez lui alors qu'il est au lycée, fouillent sa piaule, vingt-sept dollars manquent dans le portefeuille de la fille, de retour chez lui, Buddy est maîtrisé, envoyé au trou, garde à vue, on vérifie que la fille n'a pas été violée, non, rien, Buddy écope d'une mois de maison de redressement et travaux d'intérêt public pour vol, il a seize ans, se jure de retrouver la fille et de la dépouiller vraiment, une fois dehors recommence à traîner au bowling, un soir la même pétasse y titube, accompagnée d'un colosse au cou de taureau, aux yeux vides, ils ont bu, Buddy se retient de mettre direct un coup de boule à la fille qui, bien entendu, ne peut le reconnaître, il jaillit de la pénombre entre deux grosses bagnoles, sort un flingue, les menace tous deux, la fille rigole puis pleure quand il leur ordonne de se déshabiller, mais par pitié vous gardez les calcifs je veux pas voir vos petits culs de Blancs, vos culs de baltringues, vide les poches, oh quarante-trois dollaaars, fait un tas avec les fringues au sommet de quoi il dispose les deux paires de grolles, arrose le tout de white-spirit, lâche une allumette et les laisse nus et pauvres, les pieds dans la neige, il avait pris la fuite et n'était plus jamais revenu au bowling de Colfax, un contrat ayant, paraît-il, été lancé sur lui par cou de taureau et yeux vides. Donc limiter les contacts se dit-il. Summer intercepte leurs regards, se racle la gorge, demande où sont les sources de Sugar – pour demander quelque chose car ne sait pas quoi dire, il n'y a rien à dire –, elle crachote, la fumée lui pique les yeux, Buddy Loo lui indique le fond de la jungle d'un geste mou, sans même la regarder tandis que Duane Fisher lui tourne le dos et jette des pierres dans l'eau avec rudesse. Elle n'est pas la bienvenue, non, vraiment pas. Buddy Loo ne bouge plus et ventile en silence la plaque de terre à l'aide d'une immense feuille de rhubarbe. Summer hoche encore une fois la tête, bye, fait un ou deux pas à reculons puis tourne les talons et repart sur le chemin, continue car ne peut plus reculer, les sources sont là, elle les entend.

Dissocier la lumière du bruit de l'eau. La clairière est vaste, baignée d'une blancheur électrique, si vive qu'il faut quelques secondes à Summer pour trier le fouillis de ses perceptions, distinguer la cascade qui mousse, l'herbe haute d'un vert intense – un terrain de foot éclairé dans la nuit – discerner les enfants torse nu armés de petits pistolets à eau de plastique jaune, les femmes, les hommes plus rares, tous indiens. Elle marche vers les chutes, les petits accourent, leurs yeux brillent, ils rient, s'interpellent dans une langue que Summer ne comprend pas, ils lui font cortège jusqu'au bassin de pierre, elle jette un œil aux adultes qui la dévisagent, salue d'un signe de tête. Puis elle s'accroupit pour boire, plongeant à plusieurs reprises ses mains dans l'eau, se rafraîchit le cou, le front, les avant-bras. On ne pipe mot dans la clairière, le brouhaha s'est tu. Avisant un large panneau de bois titré *Sugar Falls*, elle se relève pour aller lire, mais bientôt une voix dans son dos la retient, ne vous fatiguez pas, c'est de la propagande, elle se retourne, le type est blanc, le seul Blanc ici. Ils se regardent. Sugar Falls! Quelle connerie! L'homme ironise, puis lui déclare, vous n'auriez pas dû boire l'eau de ces sources, c'est spécial ici. Summer lui répond simplement j'avais soif. Observe l'espace qui se précise maintenant, parfaitement sphérique, mais ne repère plus l'entrée du chemin par où elle est entrée. Où sommes-nous ?

L'eau des chutes n'était pas sucrée, pas même un petit goût. Le jeune moine franciscain qui avait fondé la première mission espagnole ne l'avait pas changée en sirop par miracle, contrairement à ce qui était écrit dans quelques guides touristiques ou autres livres donnés aux enfants. Mais pour les Indiens, ces sources étaient un bienfait, une zone peuplée d'esprits, ils aimaient s'y réunir lors des solstices, les plus aisés d'entre eux laissant alors leurs 4 × 4 rutilants à l'entrée du massif, à hauteur du belvédère et finissant la route à pied. Tous en connaissaient l'existence, le chemin. Le type avait donc logiquement choisi cette clairière pour leur enseigner l'archéologie, la botanique, leur pharmacopée et leur langue. Il misait sur les femmes, les plus régulières, certaines traversant désormais tout Coca pour venir l'écouter. Il avait sa théorie : former les Indiens à être leurs propres archéologues pour qu'ils puissent se réapproprier leurs tombes – disséminées par milliers des rivages de la Baie aux confins des hautes plaines, sous les parkings des supermarchés, le long des autoroutes, dans les fondations des buildings – et renommer leur territoire, se servir des technologies qui les écartaient pour renverser la situation. Il était révolté et brisé à la fois, un fonctionnement en dents de scie qui alternait le surgissement et la dépression, sa ferveur violente tranchait sur l'ambiance paisible de la clairière, le caractère pacifique de ce pique-nique indien. Pendant les temps d'enseignement, on écouta l'homme attentivement, certaines filles se levèrent pour témoigner, déplièrent des panneaux, firent passer des documents. On ne manqua pas d'apporter régulièrement à Summer du café noir, des sandwichs au cheddar, on lui proposa des cookies et des clopes. Des enfants vinrent s'affaler contre elle à l'heure de la sieste, et l'un d'entre eux posant même la tête sur ses genoux, elle observa le coin intérieur de ses yeux, plat et lisse comme l'intérieur d'un coquillage, se demanda encore une fois comment fonctionnaient ses paupières, saoulée de sensations, et calme, d'une solitude absolument poreuse maintenant, elle resta simplement là, à écouter cet homme dont la voix portait plus fort que la cascade, somnolant quand il évoqua les abrutis de l'université qui avaient décrété l'extinction des tribus de la forêt – Ohlone, Muwekma –, de leur langue, de leur cérémonie, se ranimant quand il conclut son discours : on veut reprendre les tombes pour comparer l'ADN des morts et des vivants – il désigna les enfants qui se poursuivaient en s'aspergeant – et on verra bien qu'ils existent encore ! Soudain son visage se crispe et Summer reconnaît le type qu'elle avait croisé sur le chantier, celui qui avait blessé Diderot.

Elle décida de rentrer avant la nuit et il se trouva des enfants pour l'accompagner, eux-mêmes rentraient à Edgefront, les parents suivraient plus tard. Tout le long du chemin, ils tournoyaient autour d'elle, intensément joueurs, changeant sans arrêt d'allure, s'arrêtant de longs moments pour la rattraper ensuite, passant à travers les faisceaux de lumière dorée qui sabraient les bois, sifflant dans les zébrures qui les cachaient et les révélaient à la fois. Elle apercevait une tête, un bras, parfois une silhouette entière, elle les pointait du doigt, criant vu ! Quand ils s'éloignaient plus profondément, elle entendait encore leurs exclamations, sans bien savoir s'ils riaient ou s'insultaient, mais bientôt elle comprit de nouveau leur langage : leur langue indienne s'effaçait à mesure qu'ils revenaient vers la ville et Summer admira cette manière qu'ils avaient d'être raccords au monde.

On est en semaine quarante-deux maintenant, clapots sur le fleuve, le ciel s'affale, c'est le soir. Coca s'éclaire doucement, Sanche la regarde depuis le haut de sa grue, ne se lasse pas de la regarder, cinquante mètres, décidément, c'est une hauteur qui lui va. Tableau de bord au repos, voyants au vert et manettes relevées, un litre de Jack Daniel's, des gâteaux secs, un lecteur de CD, Sanche est à la passerelle et il attend Shakira.

Il l'a appelée avant de prendre son service à seize heures – plus exactement, il lui a envoyé un message, préfère les sms, signaux lapidaires sinon une blague nue et frontale, distance conservée, maîtrise des risques – tu as le vertige ? Non, elle a répondu après vingt secondes. Rendez-vous minuit ? Ok. Raccrochant illico, Sanche s'est frotté les mains car il lui fallait faire quelque chose, il tremblait d'excitation, puis trois pas de course genoux poitrine, un tour sur lui-même, bon sang c'est oui, c'est pour ce soir et peu après, genoux poitrine toujours, il était passé acheter du whisky dans une gargote accolée au supermarché qui faisait face à l'entrée du chantier, et de retour, croisant Diderot qui s'apprêtait à sortir au volant de la Chevrolet, l'avait prévenu à travers la vitre abaissée qu'il resterait tard ce soir, deux ou trois choses à vérifier.

Maintenant, il est perché dans la nuit, les étoiles et les lumières électriques se confondent. Mais Sanche se garde de toute fébrilité qui brouille-rait son attention et conserve les yeux fixés sur le fleuve qui sinue vers lui, voie scandée de halos clairs, poudreux, sur quoi bougent de longues feuilles luisantes, fantastique vue de si haut, ce fleuve qui dans moins de quatre heures conduira Shakira au pied de la grue – elle arrivera ponc-tuelle, vingt-deux heures cinquante-cinq, devant l'entrée principale de la plate-forme Pontoverde, cueillie à la porte par un contact rétribué qui la conduira dans la diagonale de l'esplanade jusque sur le quai où un autre complice se chargera d'elle, ils embarqueront dans la vedette de la direction et gagneront la tour Edgefront, pleins gaz, là, Sanche, qui la guettait, l'appellera sur son portable pour la guider sur la pile jusqu'à la porte de l'ascenseur, et tandis que la vedette fera demi-tour pour rentrer dare-dare sans croiser la grosse navette de l'équipe de nuit, Shakira s'élèvera jusqu'à lui le long de la grue éclairée, une saillie jaune d'or, et à peine fera-t-elle un pas à l'intérieur de la capsule que Sanche s'étonnera : ce grand corps agrandit la cabine, il fait de la place.

La machinerie de l'ascenseur s'est mise en branle, bourdonnement mécanique de câbles et de promesses, et quand les portes coulissent enfin, Shakira est là qui enjambe le seuil, beauté surhumaine talons aiguilles tenus à la main par la sangle, et une fois sur place elle tourne sur elle-même, étonnée de l'immensité si proche, je fais le tour du propriétaire, curieuse, prends le temps de tout regarder, les voyants, les boutons, les manettes, les autocollants, les petits objets, les disques, et chaque mouvement de son corps augmente l'espace de la cabine, c'est beau ici, elle conclut, c'est dangereux ? Sanche la dévore des yeux, il déblatère le problème avec les grues, c'est le vent. Le vent en rafales subites, le vent en bourrasque. Je déteste les changements de saison, il y a de violentes risées qui remontent de l'océan, des tourmentes qui se forment sur les plateaux, enflent puis déboulent au-dessus du fleuve, explosent contre les bois, alors les oiseaux fuient et l'eau se met à tourner comme dans un cirque, il mime les gestes : étire les bras pour dire les oiseaux, tourne l'index pour dire le cirque. Comme elle l'écoute, il force encore le trait : les grues tanguent sur les barges, les flèches ont la tremblote, les moufles tournoient comme des pendules au bout des élingues, et chaque opération de levage devient un risque à ne pas prendre, quand la charge est de cent cinquante tonnes et le contrepoids de douze, moi je suis là pour ça, pour ne pas prendre ce risque ; il désigne l'anémomètre : chaque matin je contrôle la vitesse du vent, toute opération est interdite à partir de soixante-douze kilomètres-heure, et surtout j'observe, je vois tout ! Il a fini de parler. Le silence s'épaissit.

Shakira ôte son manteau qui tombe au sol, se découvre en robe bustier de velours noir, une forme et une matière qui accusent la silhouette en coupe de champagne, le tracé depuis les seins énormes – ils ont encore grossi ou quoi ? – à la taille ultrafine, le platine chimique de la chevelure et les calmes pressions de la peau très blanche, elle est presque nue et mieux que nue, déesse et un peu pute, s'avance contre la vitre, observe intensément le dehors, plisse les yeux comme si elle y cherchait des points de repère géodésiques, se multiplie maintenant sur les vitres, reflets précis des visages contre la nuit instable, puis pivote soudain vers Sanche, tu vois, je n'ai pas le vertige, je suis très bien ici, elle avise la bouteille de whisky, et je boirais bien quelque chose. Ils boivent. Sanche vient se placer à côté d'elle, lui aussi apparaît maintenant sur les parois de verre, il y a foule ici, non ? Il sourit, il se trouve beau à côté d'elle, il aime que cette fille l'envahisse comme le dehors envahit la capsule, s'y engouffre, reconfigure leur présence et débride leurs mouvements tout autant que la libre circulation de leurs fantasmes, il aime le rapport de leurs deux corps qui grandissent et rapetissent comme dans un conte magique à mesure qu'ils se touchent, à mesure qu'ils enclenchent maintenant les gestes banals d'une première fois et que la cabine de verre, elle, devienne la scène toujours renouvelée des intrigues. Il passe une main latérale sous ses cheveux et l'attire contre lui tandis que son autre main remonte sous sa robe, le long de sa peau si concrète – c'était phénoménal de la toucher, comme la toute première attestation de son existence à elle et, plus encore peut-être, de son existence à lui, comme si le toucher créait les corps –, elle se penche pour l'embrasser en le prenant à la gorge, puis ils se déshabillent l'un l'autre sans se cogner une seule fois, au contraire la cabine est pile à leur mesure, ses parois les pourvoient en appuis, leur offrent de quoi s'arc-bouter ou faire levier : elle se décolle juste assez du tableau de bord pour qu'il puisse glisser sa culotte sur ses chevilles, lève juste assez les bras pour qu'il lui ôte sa robe par la tête – et alors elle touche le plafond –, il se recule juste assez pour qu'elle puisse lui déboutonner son jean et fléchir sur ses jambes pour lui rouler son caleçon au sol, puis rejette juste assez ses épaules en arrière pour qu'elle fasse coulisser sur ses bras les manches de sa chemise, un gymkhana qui accélère la cadence de leur respiration, accroît leur transpiration, et bientôt les vitres de la cabine se couvrent de buée, le gaz carbonique qu'ils expriment et l'effet Joule de leurs corps nus les enclavent dans une vapeur de sauna, nuée de condensation qui les soustrait au regard des hiboux, chauves-souris et papillons de nuit, à celui des aviateurs et des adolescents qui glandent la nuit sur le toit des buildings, un halo qui les tient ensemble, à l'abri au cœur des ténèbres, quand pourtant la cabine se dilate, mouvante, plastique, zone érogène illimitée ; ils y sont debout maintenant, et face à face – elle s'est affaissée tout de même un peu – et quand vient le moment de la pénétrer, cela se complique encore juste assez – elle doit tout de même réussir à écarter ses jambes si longues, et pour cela coller le dos contre la vitre sans pour autant basculer complètement vers l'arrière et relever son sexe, il doit tout de même se placer à juste hauteur et parvenir à lui glisser les mains dans le dos, à les plaquer sur ses reins, et à trouver assez d'amplitude pour la ramener vers lui – pour qu'ils aient à pirater des solutions nouvelles.

Chaque fois que Diderot se lave, il tombe sur la cicatrice du couteau de Jacob, un trait oblique sur son flanc, long de cinq centimètres. Cela fait presque dix mois qu'il vit avec ce segment cramoisi qui lui hurle salaud dès qu'il y pose l'œil, et marque le jour où Katherine Thoreau a croisé sa route. Parfois, il se dit que sans ce coup de couteau, il n'aurait jamais rencontré cette femme, et du bout des doigts, il en effleure la trace. Mais l'insulte, elle, le poursuit. Il se promet de ne pas quitter Coca sans avoir retrouvé l'homme avec lequel il a roulé dans la poussière.

Mais pour l'heure le chantier le presse. La pose de la partie plane du pont demande encore de trouver des solutions. Il faut parer aux effets de dilatation thermique des plaques d'acier qui constituent le tablier – à Coca, les variations de température sont fortes, climat continental oblige. Sous l'effet de la canicule, les aciers gonflant, la longueur du tablier pouvait ainsi s'accroître de soixante-dix centimètres pour une travée de mille neuf cents mètres, et se rétracter ensuite. On pose alors des joints de dilatation tous les cinquante mètres, privilégiant après discussion un système de joints à lamelles autorisant des mouvements de n'importe quelle amplitude, dans les trois directions, et des rotations sur les trois axes. Durant quelques jours, la définition de leur intervalle occupe encore les constructeurs. Ces exigences techniques, absolument limpides, passionnent Diderot qui commande des tests, évalue, compare et tranche. C'est le mouvement même du pont, son caractère souple et vivant qui se joue là, dans la pure réalité de l'acier, et il se penche sur cette question avec l'ardeur que l'on met à finir un travail. Les équipes de métalliers s'activent à l'horizontale, et assemblent la travée, plaque après plaque, mille neuf cents mètres de long sur trente-deux de large, c'est un travail mécanique, souder, boulonner, boulonner, souder. Seamus et Mo font équipe et travaillent sans se parler, ont réglé tous leurs gestes avec précision, c'est une chorégraphie. Ils tracent en tête, et bientôt ont couvert leur bande et c'est le franchissement du fleuve. Eux aussi sentent qu'ils approchent du but. Un relâchement qui inquiète Diderot, c'est toujours dans les derniers jours qu'on fait le plus de conneries, faites gaffe, il les prévient, d'autant que depuis quelques jours la chaleur est torride, les gars ont le crâne qui chauffe sous les casques, et peu d'ombre où faire une pause, le métal brûle comme le bitume qui recouvre à présent toute la travée, le chantier est devenu zone infernale et c'est lors des trajets sur le fleuve que les hommes se raniment, déjà ils se projettent dans l'avenir, se refilent des plans. Seamus devancera l'inauguration du pont et partira fin août pour le nord-ouest du Canada, à Cigar Lake, l'avenir c'est le nucléaire, il rigole, compare la paye qui lui est proposée avec celle des ouvriers bossant sur d'autres sites, quand les gars du pont grimacent, moi l'uranium c'est niet, jamais, pas envie de devenir radioactif. Mo regarde défiler les berges, il hésite à partir avec lui. Seamus lui assure qu'il s'agit d'un contrat intéressant, mais il a une piste au Zimbabwe, dans une mine de platine où l'un de ses cousins, qu'il a retrouvé par Internet, travaille déjà, on est des centaines ici, lui a-t-il écrit. Mo ne sait pas encore ce qu'il fera, il s'est toujours débrouillé mais une chose est sûre, lui veut voir l'inauguration du pont, les illuminations, la liesse. Encore trois semaines.

Et puis, un matin, Summer frappe au bureau de Diderot, et coup de chance, il est là, relève la tête de son écran d'ordinateur : ça va Diamantis ? Summer sera la dernière à travailler dur, il le sait, le terrassement des accès, comprenant six voies qu'il fallait raccorder de part et d'autre du pont au réseau routier, impliquait une production toujours élevée de béton. Côté Coca, l'autoroute du pont se coulait parfaitement dans le système, convergeant vers un échangeur qui, après le péage, redistribuait les voies en toutes directions, deux d'entre elles évitant la ville pour monter directement au

323

plateau ; mais côté Edgefront, une fois passé le péage, les six voies demeuraient collées, puis la saignée de trente mètres de large s'étrécissait pour prendre l'allure d'une simple route qui longeait le fleuve en aval. Summer devait préparer le terrain aux aménagements futurs : la voie du massif une fois ouverte bouleverserait totalement le quartier d'Edgefront, le divisant en deux parties égales avant de gagner la forêt. C'est une connerie, cette autoroute forestière, Summer déblatère direct en s'asseyant sur la chaise face au bureau, son casque sur les genoux. Elle a longuement hésité avant de frapper à la porte de Diderot : bientôt un an qu'elle le côtoie, si elle respecte et admire cette manière qu'il a de se réaliser dans l'action humaine, connecté à une matérialité qui existe hors de lui, elle se méfie aussi de cet homme pour qui vivre revient à se couler dans le flux du monde, dans son mouvement. Diderot se recule dans son fauteuil : qu'est-ce qui se passe Diamantis ? Cette autoroute, elle répète, cette autoroute qu'ils veulent faire, ça va tout foutre en l'air. Diderot, sec : c'est pas notre job, ça, Diamantis. Mais Summer secoue la tête, pas d'accord, moi mon job c'est aussi les accès et le raccordement au réseau. Silence puis Diderot acquiesce doucement, c'est vrai, mais il n'y a pas encore de réseau à Edgefront, on raccorde la voie sur berge, on désengorge la grande place, c'est tout. Puis, comme on étouffe dans le petit local, Summer ouvre la fenêtre, se retourne, j'ai retrouvé l'homme qui vous a blessé en novembre. Diderot tressaille, sa cicatrice brûle sous sa chemise, ah ouais ? Ouais. Deux minutes plus tard, ils sont déjà partis.

Ils ont blindé dans l'Impala, silencieux, zigzaguant entre les véhicules, prenant autant de risques que des fugitifs pourchassés et une fois arrivés sur la rive Edgefront ont gravi la route jusqu'au belvédère, un chemin que Diderot découvre, c'est Summer qui conduit. Une fois hors de la voiture, il ne prend pas le temps de contempler Coca, merveilleuse, les buildings perçant la brume de chaleur, non, ils entrent aussitôt dans la forêt et c'est vrai que les sous-bois impressionnent Diderot, le désorientent, fragmentaires, et le jour y tenant la même proportion que l'obscurité, il marche longtemps sans savoir s'il est dedans ou dehors, incorporé dans la frénésie végétale, Summer silencieuse à ses côtés, et plus tard, l'ombre augmentant sa part, la lumière s'éparpille en éclats, tandis qu'une silhouette se présente au bout du chemin, fantomatique mais s'incarnant à mesure qu'elle se précise, Jacob vient à leur rencontre.

Il s'immobilise à quelques mètres d'eux, qui s'arrêtent également, et puis le silence gonfle, grouille, un vivier. Ils sont tous les trois recouverts des mêmes taches de lumière, vêtements et peaux, transfigurés. C'est le rendez-vous, dit simplement Summer qui reste en arrière tandis que Diderot s'avance encore. Les deux hommes sont maintenant face à face, espacés de cinquante centimètres. Ils se connaissent par cœur. Il y a tant de bruit que Jacob doit hausser la voix, je savais que tu viendrais, et Diderot répond lentement, en faisant traîner les syllabes, je voulais te casser la gueule et puis, je voulais aussi te remercier. Les timbres sont atones, ils se mesurent, sans affect. Jacob articule, passe direct au remerciement, les bras croisés sur l'abdomen. Des bestioles de toutes sortes peuplent les pastilles lumineuses, des mouches roses, des papillons coquelicot, des scarabées bronze, puis tout se tait et la voix de Diderot vibre, ok, merci pour le coup de couteau. Jacob décroise les bras, interloqué, pose les mains sur ses hanches et shoote dans une feuille, Diderot hésite à lui flanquer un coup de poing sec au visage, l'autre n'aurait pas le temps de se protéger, il l'atteindrait au nez, lui ferait pisser le sang, la forêt tournoie autour de lui, elle accélère, il sourit.

Summer, elle, piétine à l'arrière. Un papillon voltige autour d'elle électrique et délicat, elle le suit du regard, longuement, puis finit par s'accroupir pour l'observer alors qu'il s'est enfoncé dans la corolle d'une fleur inconnue, elle se concentre. C'est un *mission blue butterfly*. Une espèce archi-protégée. Sur les berges du fleuve on avait dû planter des zones entières de plates-bandes pour que ces papillons aient de quoi vivre, et décréter que la vitesse des bateaux et celle des voitures sur les quais soient limitées à dix kilomètres-heure de mars à juin. La forêt est sauvée. Elle exulte, paupières closes. Puis, relevant la tête, détache l'élastique de sa queue-de-cheval, c'est la toute première fois, elle change soudain d'allure et de visage, interpelle les deux hommes, c'est fini la guerre ? Je dois reprendre mon service.

La veille de l'inauguration, on s'active encore sur le pont. L'électrification de la structure imposant d'installer cent cinquante-deux lampes le long de la travée, et seize autres plus puissantes sur les tours qui seraient surmontées chacune d'un phare aérien rouge, on déroule toujours des kilomètres de câbles. Les accès s'achèvent à peine, le béton coulé encore frais sur la chaussée du pont. Aussi, on brique le métal, on surveille les oiseaux, des suspensions se balancent le long des piles pour nettoyer la moindre souillure. De part et d'autre de l'édifice, les chaînes sont hérissées de drapeaux qui claquent dans le vent, et devant la porte Coca une gigantesque estrade est installée, entourée de tribunes latérales et surmontée d'un chapiteau en meringue, un orchestre, demain, devrait se tenir là et lancer la fanfare quand le Boa viendra couper le ruban magique, quand il posera le bout de sa semelle sur la chaussée splendide, et marchera jusqu'à Edgefront, seul en avant du peuple, détendu, triomphal, offert aux regards, les bras le long du corps et la mâchoire parallèle au sol, peut-être même une rose à la main, suivi vingt minutes après par deux mille invités qui eux aussi traverseront à pied, des intimes triés sur le volet, parmi lesquels Shakira, et on espère que Mo aura réussi à s'infiltrer dans la petite foule privilégiée, il aura revêtu une chemise blanche et un pantalon de toile gris qui lui fera les hanches étroites, il prendra un plaisir dingue à traverser ce pont qui est le sien, sans casque, du soleil plein la figure. De l'autre côté de l'eau l'accueil sera triomphal : lâchers de colombes, pom-pom girls, jongleurs, danses folkloriques indiennes, défilé des polices municipales et distribution gratuite de tee-shirts siglés d'une formule magique : c = 0 %, m = 69 %, y = 100 %, k = 6 %, la définition du vermillon de la structure. Des mesures de sécurité draconiennes ont été prises, Jacob et les Indiens, parmi lesquels Buddy Loo et Duane Fisher, sont parqués sous surveillance dans un motel avec un écran géant sur Colfax ; la jeunesse est exclue des réjouissances, Matt prévoit de suivre la cérémonie depuis le belvédère, Liam vient aussi, ils emmèneront Billie, leur père a déclaré qu'il ne voulait rien voir, de toute façon, y avait la télé.

C'est la fin de l'après-midi et pour la dernière fois Katherine va garer son véhicule sur le parking des engins de terrassement, tapote l'assise de son fauteuil – elle en aura passé combien d'heures là-dedans ? –, ramasse la photo des enfants coincée dans le pare-brise, la bouteille d'eau, la paire de gants, puis, passant par les vestiaires, récupère les affaires entreposées dans son casier – savon, serviette, tee-shirt de rechange – avant d'aller rendre son casque, son badge et son cadenas dans le baraquement administratif. Ne pas s'appesantir, scander les gestes.

Diderot l'attend hors de la plate-forme, calé dans l'Impala qui roule bientôt vers l'amont du fleuve, vers le méandre, là où il n'est plus de villages mais seulement quelques cabanes et des criques. Ce n'est pas la dernière fois qu'ils se voient, il n'y a pas de dernière fois, personne n'est encore mort dans cette voiture, et leur seule idée maintenant est de trouver un coin pour eux, il fait chaud encore, ils choisissent les roseaux sauvages et l'herbe sablonneuse, ôtent leurs chaussures, se piquent aux orties. Ils ont de beaux pieds, Katherine les chevilles fines et les talons larges, légèrement évasés sur les bords, Diderot les orteils minces et juste recourbés. Ils marchent sur le rivage en levant haut les genoux, leurs peaux s'effacent dans l'eau brune et habitée. Au loin, le pont, et devant eux, très agitée, la rivière travaillée par de forts courants qui créent de l'écume en surface, il n'y a plus qu'un seul paysage autour d'eux, on y va ? Ils se déshabillent en vitesse, balancent leurs fringues éclaboussées sur la rive, puis à fortes enjambées descendent dans le fleuve en hurlant, écartent des branches qui flottent sur leur passage, un carton de Campbell's Soup, une sandalette rose, puis captent un flux et s'éloignent en nage indienne.

L'auteur remercie Ewa Z. Bauer, Robert E. David et Alan Leventhal à San Francisco, et Paul-Albert Leroy à Paris.

DU MÊME AUTEUR

Aux Éditions Verticales

JE MARCHE SOUS UN CIEL DE TRAÎNE, 2000.

LA VIE VOYAGEUSE, 2003.

NI FLEURS NI COURONNES, collection « Minimales », 2006.

CORNICHE KENNEDY, 2008 (Folio n° 5052).

NAISSANCE D'UN PONT, 2010. Prix Médicis et prix Franz Hessel, 2010 (Folio n° 5339).

TANGENTE VERS L'EST, 2011. Prix Landerneau 2012.

RÉPARER LES VIVANTS, 2014. Prix du Roman des étudiants France Culture-*Télérama* 2014 ; Grand Prix RTL-*Lire* 2014 ; prix Orange du Livre 2014 ; prix littéraire Charles Brisset ; prix des lecteurs *L'Express*-BFMTV 2014 ; prix Relay des Voyageurs avec Europe 1 ; prix Paris Diderot-Esprits Libres 2014 ; élu meilleur roman 2014 du magazine *Lire* ; prix Pierre Espil 2014 ; prix Agrippa d'Aubigné 2014 (Folio n° 5942).

À CE STADE DE LA NUIT (1re éd. *Éditions Guérin*, 2014), collection « Minimales », 2015.

UN MONDE À PORTÉE DE MAIN, 2018 (Folio n° 6771). Livre préféré des libraires – Palmarès *Livres Hebdo* 2018.

Chez d'autres éditeurs

DANS LES RAPIDES, *Naïve*, 2007 (Folio n° 5788).

NINA ET LES OREILLERS, illustrations d'Alexandra Pichard, *Hélium*, 2011.

PIERRE FEUILLE CISEAUX, photographies de Benoît Grimbert, *Le Bec en l'air*, 2012.

VILLES ÉTEINTES, photographies Thierry Cohen, textes de Maylis de Kerangal et Jean-Pierre Luminet, *Marval*, 2012.

HORS-PISTES, *Thierry Magnier*, 2014.

UN CHEMIN DE TABLES, *Seuil*, 2016 (Folio n° 6673).

KIRUNA, *La Contre-allée*, 2019.

*Tous les papiers utilisés pour les ouvrages
des collections Folio sont certifiés
et proviennent de forêts gérées durablement.*

*Composition Entrelignes
Impression Maury Imprimeur
45330 Malesherbes
le 15 novembre 2022
Dépôt légal : novembre 2022
1ᵉʳ dépôt légal dans la collection : décembre 2011
Numéro d'imprimeur : 266650*

ISBN 978-2-07-289584-5 / Imprimé en France.

556472